A educação estética do homem

BIBLIOTECA PÓLEN

Para quem não quer confundir rigor com rigidez, é fértil considerar que a filosofia não é somente uma exclusividade desse competente e titulado técnico chamado filósofo. Nem sempre ela se apresentou em público revestida de trajes acadêmicos, cultivada em viveiros protetores contra o perigo da reflexão: a própria crítica da razão, de Kant, com todo o seu aparato tecnológico, visava, declaradamente, libertar os objetos da metafísica do "monopólio das Escolas".

O filosofar, desde a Antiguidade, tem acontecido na forma de fragmentos, poemas, diálogos, cartas, ensaios, confissões, meditações, paródias, peripatéticos passeios, acompanhados de infindável comentário, sempre recomeçado, e até os modelos mais clássicos de sistema (Espinosa com sua ética, Hegel com sua lógica, Fichte com sua doutrina-da-ciência) são atingidos nesse próprio estatuto sistemático pelo paradoxo constitutivo que os faz viver. Essa vitalidade da filosofia, em suas múltiplas formas, é denominador comum dos livros desta coleção, que não se pretende disciplinarmente filosófica, mas, justamente, portadora desses grãos de antidogmatismo que impedem o pensamento de enclausurar-se: um convite à liberdade e à alegria da reflexão.

Rubens Rodrigues Torres Filho

Friedrich Schiller

A EDUCAÇÃO ESTÉTICA DO HOMEM
numa série de cartas

Tradução
Roberto Schwarz e Márcio Suzuki

Introdução e notas
Márcio Suzuki

ILUMI//URAS

Biblioteca Pólen
dirigida por Rubens Rodrigues Torres Filho e Márcio Suzuki

Título original
Uber die Asthetische Erziehung des Menschen. In einer Reihe von Briefen

Copyright © 1989 desta tradução
Roberto Schwarz e Márcio Suzuki

Copyright © desta edição
Editora Iluminuras Ltda.

Capa
Fê
Estúdio A Garatuja Amarela
sobre *Retrato de homem - autorretrato* (1919), xilogravura a cores
[46 em x 33 em], Erich Heckel. Coleção particular.

Revisão
Alexandre J. Silva

CIP-BRASIL. CATALOGAÇÃO NA FONTE
SINDICATO NACIONAL DOS EDITORES DE LIVROS, RJ

S361e

Schiller, Friedrich, 1759-1805
    A educação estética do homem : numa série de cartas / Friedrich Schiller ; tradução Roberto Schwarz e Márcio Suzuki ; introdução e notas Márcio Suzuki. - São Paulo : Iluminuras, 1989. – [10. reimpressão, 2017] - (Biblioteca Polén)
Tradução de: Uber die Asthetische Erziehung des Menschen. In einer Reihe von Briefen
    ISBN 85-85219-10-6

    1. Estética - Obras anteriores a 1800. 2. Estética moderna - Século XVIII. 3. Filosofia alemã. 4. Filosofia moderna. I. Título. II. Série.

10-3774.   CDD: 111.85
                    CDU:111.85
02.08.10   11.08.10   020758

2017
EDITORA ILUMINURAS LTDA.
Rua Inácio Pereira da Rocha, 389 - 05432-011 - São Paulo - SP - Brasil
Tel. / Fax: 55 11 3031-6161
iluminuras@iluminuras.com.br
www.iluminuras.com.br

ÍNDICE

O belo como imperativo, 9
  Márcio Suzuki

Carta I, 21
Carta II, 23
Carta III, 25
Carta IV, 29
CartaV, 33
Carta VI, 35
Carta VII, 43
CartaVIII, 45
Carta IX, 47
Carta X, 51
Carta XI, 55
Carta XII, 59
Carta XIII, 63
Carta XIV, 69
Carta XV, 73
Carta XVI, 79
Carta XVII, 83
Carta XVIII, 87
Carta XIX, 91
Carta XX, 97
Carta XXI, 101
Carta XXII, 105
CartaXXIII, 109
Carta XXIV, 113
Carta XXV, 119
Carta XXVI, 123
Carta XXVII, 129
Notas, 137

O BELO COMO IMPERATIVO

Márcio Suzuki

"O gênio em geral é poético. Onde o gênio atuou — atuou poeticamente. O homem genuinamente moral é poeta."

Novalis[1]

"A revolução no mundo filosófico abalou o fundamento sobre o qual a estética estava assentada, e seu sistema anterior, se é que se pode dar-lhe esse nome, foi deixado em ruínas." É com essas palavras que, numa carta ao príncipe Augustenburg,[2] Schiller descreve o estado de coisas em que se encontra a estética desde que seus alicerces foram estremecidos pela crítica kantiana. Depois de ter provocado tamanha reviravolta na filosofia teórica e na filosofia prática, a *"revolução copernicana"* chega enfim ao domínio estético: *"Como não preciso dizer-lhe, príncipe, em sua* Crítica do Juízo Estético *Kant já começou a aplicar os princípios da filosofia crítica também ao gosto e, se não forneceu, pelo menos preparou os fundamentos para uma nova teoria da arte".*[3]

Essas duas passagens, extraídas de uma carta de Schiller ao seu "mecenas" datada de 9 de fevereiro de 1793, dão uma ideia precisa de suas preocupações nessa época. Certamente elogiosas no que concerne ao desempenho da crítica kantiana na estética,

---

[1] Novalis, *Pólen. Fragmentos-Diálogos-Monólogo.* São Paulo: Iluminuras, 1988. Trad., apresentação e notas de Rubens Rodrigues Torres Filho, p. 124.

[2] *As cartas a Augustenburg (Augustenburger Briefe)* são uma espécie de agradecimento, da parte de Schiller, a uma pensão anual de mil táleres que lhe fora concedida pelo príncipe Friedrich Christian von Schleswig-Holstein-Sonderburg-Augustenburg, de 1791 a 1793. Consideradas perdidas no incêndio ocorrido em 1794 no castelo do príncipe, em Copenhague, foram encontradas em cópias feitas por amigos deste (Schiller também possuía uma). Ao lado das cartas a Körner, elas constituem os esboços preliminares das investigações que culminarão na *Educação estética do homem.* Uma boa edição das *Augustenburger Briefe* pode ser lida em *Schiller Briefe über die ästhetische Erziehung,* Frankfurt/Main: Suhrkamp, 1984. Organizado por Jürgen Bolten (as citações seguem essa edição).

3 *Cartas a Augustenburg,* ed. cit., p. 34

se lidas com atenção — sobretudo a segunda —, elas mostram, porém, que a filosofia kantiana para Schiller parece carecer de um acabamento: a Crítica do Juízo, que abalara toda a estética de até então, não conseguira elevá-la à condição de doutrina do gosto. A estética kantiana parece ter permanecido uma mera "propedêutica" — à medida que "preparou os fundamentos" — à teoria da arte e, concordando neste ponto com toda a filosofia pós-kantiana, Schiller propõe-se como tarefa completar o sistema entrevisto *por Kant: "Com efeito, eu jamais teria tido a coragem de tentar solucionar o problema deixado pela estética kantiana, se a própria filosofia de Kant não me proporcionasse os meios para isso. Essa filosofia fecunda, que com tanta frequência tem de repetir que ela apenas demole e nada constrói, fornece as pedras fundamentais sólidas para erigir também um sistema da estética, e o fato de que não lhe tenha proporcionado também esse mérito eu só posso explicar como uma ideia premeditada de seu autor. Longe de considerar-me aquele a quem isso esteja reservado, quero apenas experimentar até onde me leva a trilha descoberta. Se não me levar diretamente à meta, ainda assim não está de todo perdida a viagem pela qual se busca a verdade".*[4]

É nesta linha de buscar os resultados últimos que despontavam já no horizonte da crítica kantiana que se inserem os ensaios estéticos de Schiller. Num destes, em forma de epístolas a seu amigo Körner, denominado Kallias ou sobre a Beleza *(que foi escrito exatamente na mesma época que as Cartas a Augustenburg), o intuito é justamente mostrar aquilo que falta para a completude do sistema, a saber, uma dedução* objetiva *do juízo de gosto.*[5] *Sem essa fundamentação objetiva, os juízos acerca do belo estão condenados a uma validade meramente empírica e subjetiva, condição a que não se furtaram nenhuma das teorias anteriores à de Kant e, a bem da verdade, nem mesmo esta. De resto, nesse texto Schiller confessa a seu amigo Körner*

---

[4] Idem, p. 35. Numa carta a F. H. Jacobi, de 29/06/1795, Schiller é mais incisivo na diferença que o separa de Kant: "Ali onde eu apenas destruo e procedo na ofensiva contra outras opiniões doutrinais, sou rigorosamente kantiano; apenas ali onde eu construo, encontro-me em oposição a Kant".

[5] *Kallias ou da Beleza. Cartas a Gottfried Körner.* In: *Sämtliche Werke.* Munique, Carl Hanser, 7. ed., p. 394. Organizado por Gerhard Fricke e Herbert G. Göpfert, v. 5: Narrativas e escritos teóricos. (Todos os ensaios de Schiller serão citados pela paginação dessa edição, exceção feita à *Educação estética*, que segue a paginação do presente volume.)

sua própria impotência em solucionar o problema, sem recorrer a um conceito da experiência.[6]

Ao buscar um fundamento objetivo para o belo, a estética de Schiller é animada por esse desejo de ver *"o mais eficaz de todos os móbeis, a arte formadora de almas, elevado à condição de uma ciência filosófica"*.[7] *Para tanto, essa nova disciplina não pode ser construída sobre um mero jogo subjetivo entre imaginação e entendimento — jogo mediante o qual Kant deduzia o juízo de gosto na* Crítica do Juízo *—, mas precisa, tanto quanto possível, ter uma pretensão à validade universal determinada na própria razão: "Assim como a verdade e o direito, também a beleza, parece-me, tem de residir em fundamentos eternos, e as leis originárias da razão têm de ser também as leis do gosto".*[8] *Todo o empenho de Schiller será, por conseguinte, o de mostrar como ocorre essa amarração do juízo estético aos princípios da razão — razão, aliás, não em seu uso teórico, mas em seu uso mais sublime, o prático. Com efeito, é unicamente sob a jurisdição da razão prática que podem ser dirimidas as controvérsias em que se viram enredados todos aqueles que algum dia refletiram sobre a questão estética. Numa carta a Körner de 25 de outubro de 1794, Schiller afirma estar convencido "de que todas as divergências surgidas entre nós e outros como nós, que de resto somos tão concordes no sentimento e nos princípios, provêm de que estabelecemos um conceito empírico de beleza, o qual todavia não existe. Tínhamos necessariamente de encontrar todas as nossas representações /do belo/ em conflito com a experiência, porque a experiência não expõe absolutamente a Ideia do belo, ou antes, porque aquilo que se sente comumente como belo não é absolutamente o belo. O belo não é um conceito de experiência, mas antes um imperativo. Decerto, ele é objetivo, mas apenas como uma tarefa necessária para a natureza racional e sensível; na experiência real, porém, ela permanece comumente inacabada, e por mais belo que um objeto seja, o entendimento antecipador o torna um objeto perfeito ou o sentido antecipador o torna um objeto me-*

6 *Kallias*, p. 394.
7 *Cartas a Augustenburg*, p. 34.
8 Ibidem, p. 35.

ramente agradável. É algo inteiramente subjetivo se sentimos o belo como belo, mas deveria ser algo objetivo".[9]

Como se pode notar por esse trecho, Schiller parece não ver outra alternativa: uma vez que para fundamentar objetivamente o juízo de gosto é impossível dispor de um critério do tipo das ciências matemáticas ou físicas-matemáticas, o único recurso é apelar para o mesmo procedimento utilizado por Kant na parte prática de sua filosofia. Ou seja, o critério de objetividade do belo — se é que há algum — não pode ser encontrado na ordem do ser (que no caso da estética é sempre particular, empírico), mas na ordem de um dever ser, que confere ao juízo estético o caráter de um imperativo. Assim, se não se pode afirmar que este ou aquele objeto seja de fato belo, e ainda que nenhum objeto no mundo efetivamente o seja, isso não exclui a possibilidade de direito *do juízo de gosto puro, válido universalmente e a priori para todos, e não apenas de forma empírica e subjetiva para este ou aquele indivíduo. Tal como na moral, na estética importa descobrir "não os fundamentos daquilo que* ocorre, *mas leis para aquilo que* deve *ocorrer, mesmo que jamais ocorra".*[10]

Seguindo o mesmo plano traçado por Kant na investigação do imperativo, Schiller poderá afirmar que o belo ou o juízo sobre o belo nunca é inteiramente puro, à medida que na experiência o homem sempre se entregará à contemplação estética conforme o seu estado de espírito momentâneo. Dessa forma, o equilíbrio perfeito necessário à apreciação "pura" do belo, "esse equilíbrio permanece sempre apenas uma Ideia, que jamais pode ser plenamente alcançada pela realidade. Nesta restará sempre o predomínio de um elemento sobre o outro, e o mais alto que a experiência pode atingir é uma variação entre os dois princípios / formal e material/ em que ora domine a forma e ora a realidade. A beleza na Ideia, *portanto. é eternamente una e indivisível, pois pode existir um único equilíbrio; a beleza na experiência, contudo, será eternamente dupla, pois na* variação *o equilíbrio poderá ser transgredido por uma dupla maneira, para aquém e para além".*[11]

---

[9] In: *Schillers Briefe über die ästhetische Erziehung*, p. 109.
[10] Kant, *Fundamentação da Metafísica dos Costumes*, A63.
[11] Carta XVI, p. 87

Na "realidade", o belo tende ora para uma "beleza de fusão" ora para uma "beleza enérgica" (Carta XVI); como Ideia, porém, a beleza é uma só, indivisa (da mesma maneira que, para Kant, há várias formas de imperativo, mas uma única forma pura de obediência à lei, a do imperativo categórico). Entende-se então por que, para fugir do caráter empírico-subjetivo inerente aos juízos estéticos, Schiller recorre ao critério de validade objetiva proporcionado pelo dever ser (sollen).

Contudo, espelhando-se unicamente no modelo de validade do imperativo categórico, a nova doutrina estética a ser construída sobre princípios kantianos correria o risco de desabar num mero formalismo. Com efeito, Schiller mostrará que, se de um lado a estética apoia-se no modelo da moral, de outro — e todo o seu esforço argumentativo nos ensaios "filosóficos" irá neste sentido — essa mesma estética corrigirá a parcialidade da visão moral contida no imperativo, dando-lhe um conteúdo e possibilitando sua aplicação no mundo. Decerto, é preciso levar adiante a empreitada crítica, mas despojando-a do aspecto formal que assumiu na filosofia prática: "A pureza rigorosa e a forma escolástica em que são apresentadas muitas proposições kantianas emprestam-lhes uma dureza e uma especificidade que são estranhas ao conteúdo e, despidas desse véu, aparecem como antigas exigências da razão comum".[12]

Para Schiller, importa acima de tudo ter cuidado na hora de interpretar o mandamento capital da moral kantiana: "Na filosofia moral kantiana a ideia do dever é apresentada com uma dureza que afugenta toda graça e poderia facilmente induzir um entendimento fraco a buscar a perfeição moral pela via de um ascetismo lúgubre e monástico".[13] Mas foi também esse apego irrestrito à letra da lei moral que levou os seguidores de Kant a não enxergar o verdadeiro espírito de sua filosofia: "Observei amiúde que verdades filosóficas têm de ser encontradas em uma forma, e aplicadas e difundidas em outra. A beleza de um edifício não se torna visível antes que se retirem os apetrechos do pedreiro e do carpinteiro, e que se derrubem os andaimes por trás dos quais está erigido. Quase todos os discípulos de Kant, porém, permitem

---

[12] *Cartas a Augustenburg*, p. 37.
[13] *Sobre Graça e Dignidade*, ed. cit., p. 465.

que se lhes arrebate antes o espírito que a maquinaria de seu sistema e, precisamente por isso, põem à luz que se parecem mais com o trabalhador que com o mestre de obras".[14]

Trata-se, portanto, de não perder de vista o "espírito" do sistema que se quer construir, evitando a unilateralidade de uma "moral demoníaca"[15] fundada exclusivamente no imperativo categórico, no ascetismo de uma "vontade santa" que obedeceria incondicionalmente à razão. Ora, a parcialidade dessa leitura dos chamados "rigoristas éticos" consiste justamente em desconhecer o fato de que a natureza humana é "mista", ou seja, que é dotada não apenas de razão, mas de razão e sensibilidade. Sendo assim, permanecerá sempre uma empresa inútil a de querer elevar moralmente — isto é, racionalmente — o homem sem, ao mesmo tempo, cultivar sua sensibilidade.

É mediante a cultura ou educação estética, quando se encontra no "estado de jogo" contemplando o belo, que o homem poderá desenvolver-se plenamente, tanto em suas capacidades intelectuais quanto sensíveis. Esse é, aliás, o sentido da passagem mais famosa das cartas sobre A Educação Estética do Homem, a qual, segundo o próprio Schiller, "suportará o edifício inteiro da arte estética e da bem mais dificultosa arte de viver": "Pois, para dizer tudo de vez, o homem joga somente quando é homem no pleno sentido da palavra, e somente é homem pleno quando joga".[16] No "impulso lúdico", razão e sensibilidade atuam juntas e não se pode mais falar da tirania de uma sobre a outra. Através do belo, o homem é como que recriado em todas as suas potencialidades e recupera sua liberdade tanto em face das determinações do sentido quanto em face das determinações da razão. Pode-se afirmar, então, que essa "disposição lúdica" suscitada pelo belo é um estado de liberdade para o homem.

Contudo, deve-se notar, a "liberdade estética" é uma liberdade sui generis e não deve ser confundida de modo algum com liberdade ou autonomia encontrada na razão prática: "Para

---

[14] Cartas a Augustenburg, p. 37.

[15] No sentido do "daimon" grego. A expressão é de Schiller num "poema em forma antiga" chamado Moral do Dever e Moral do Amor, em cujos últimos dois versos se diz: "E nada mais desprezível que a moral dos demônios,/ Na boca de um povo, ao qual ainda falta a humanidade".

[16] Carta XV, p. 84.

evitar mal-entendidos, lembro que a liberdade de que falo não é aquela encontrada necessariamente no homem enquanto inteligência, liberdade esta que não lhe pode ser dada nem tomada; falo daquela que se funda em sua natureza mista. Quando age exclusivamente pela razão, o homem prova uma liberdade da primeira espécie; quando age racionalmente nos limites da matéria e materialmente, sob leis da razão, prova uma liberdade da segunda espécie. A segunda pode ser explicada somente por uma possibilidade natural da primeira".[17]

No impulso lúdico, o homem não desfruta da liberdade moral stricto sensu, mas de uma liberdade em meio ao mundo sensível. Isso acarreta uma consequência importante: para Schiller, sempre que contempla um objeto belo, o homem está ao mesmo tempo projetando simbolicamente sua própria liberdade nesse objeto. No juízo estético, a razão empresta a sua autonomia ao mundo sensível e é por isso que se pode afirmar que o belo é "liberdade no fenômeno".[18]

Visto dessa perspectiva, o homem em sentido pleno — o homem lúdico — não busca apenas retirar-se à "clausura" de sua moralidade, mas empenha-se exatamente em dar vida às coisas que o cercam, em "libertar" os objetos que habitam sua sensibilidade, tornando possível um cultivo cada vez maior desta. O homem assim destinado a aperfeiçoar a realidade — seja ele o gênio que cria obras de arte ou o indivíduo de gosto que contempla o belo — é chamado por Schiller de nobre: "Onde quer que o encontremos, este tratamento espirituoso e esteticamente livre da realidade comum é o sinal de uma alma nobre. Deve ser dita nobre a alma que tenha o dom de tornar infinitos, pelo modo de tratamento, mesmo o objeto mais mesquinho e a mais limitada empresa. É nobre toda forma que imprime o selo da autonomia àquilo que, por natureza, apenas serve (é mero meio). Um espírito nobre não se basta com ser livre; precisa pôr em liberdade todo o mais à sua volta, mesmo o inerte".[19]

---

[17] Carta XIX, p. 103 (nota).
[18] *Kallias*, p. 400; Carta XXIII, p. 117 (nota).
[19] Carta XXIII, p. 120 (nota).

Desse modo, tenta-se operar uma mudança decisiva na tese kantiana de que tudo o que foi criado "pode ser usado meramente como meio*; apenas o homem, e com ele todo ente racional, é* fim em si mesmo*".*[20] *Sem dúvida, o homem educado esteticamente respeita esse imperativo,* mas vai além dele, *visto que trata não apenas o ente racional, mas tudo à sua volta como dotado de autonomia. É por "enobrecer" também o universo da matéria que um tal indivíduo se toma, aos olhos de Schiller, um "homem virtuoso"; ou seja, aquele que toma como máxima de sua felicidade a plena realização da moralidade no mundo. À medida que busca realizar não meramente o fim estabelecido pelo dever, mas o "reino dos fins" na terra, o homem tem pleno direito de, por essa causa mais nobre, transgredir o dever: "O filósofo moral ensina-nos que nunca se pode fazer* mais do que *o dever, e tem razão, se visa apenas à relação das ações com a lei moral. Em ações, porém, que se referem meramente a um fim, ir ao suprassensível* para além desse fim *(o que não pode significar aqui senão realizar esteticamente o físico), quer dizer ao mesmo tempo ir* para além do dever, *à medida que este só pode prescrever que a vontade seja santa, mas não que a* natureza *já se tenha santificado. Embora não haja transgressão moral do dever, há uma transgressão estética do mesmo, e um tal comportamento é dito nobre".*[21]

Mediante essa concepção do homem educado pelo belo como indivíduo virtuoso, a estética acaba por reencontrar a virtude e a felicidade, doutrinas se não suprimidas pelo menos relegadas aos aposentos de fundo da moral kantiana. Nesse sentido, a estética para Schiller faz as vezes também de uma doutrina da virtude — de uma ética — que vem completar o sistema moral. Certamente anterior à composição das Cartas, *essa visão pode ser encontrada já no ensaio* Sobre Graça e Dignidade, *quando se afirma que o homem "não só pode, mas também deve unificar prazer e dever; ele deve obedecer a sua razão com alegria".*[22] *A "cultura estética" é aquilo que deve conduzir a natureza humana à plenitude de seu desenvolvimento, à conjunção de suas forças sensíveis e racionais, enfim, à união de dignidade*

[20] Kant, *Crítica da Razão Prática*, A155-156.
[21] Carta XXIII, p. 117 (nota).
[22] *Sobre Graça e Dignidade*, ed. cit., pp. 464-465.

moral e felicidade: *"É próprio do homem conjugar o mais alto e o mais baixo em sua natureza, e se sua dignidade repousa na severa distinção entre os dois,* a felicidade *encontra-se na hábil supressão dessa distinção. A cultura, portanto, que deve levar à concordância de dignidade e felicidade, terá de prover a máxima pureza dos dois princípios em sua mistura mais íntima".* [23]

É portanto apenas à luz dessa investigação sobre o homem como natureza sensível e racional, empenhando-se em unificar obrigação e felicidade, que se pode avistar o verdadeiro edifício que, segundo Schiller, Kant deixara premeditadamente de construir, e que deve abrigar a um só tempo a estética e a filosofia prática. Aqui, porém, surgem os problemas que tanto têm chamado a atenção dos comentadores: ao ser concebida como unificação (ideal) entre prazer e dever, não estaria a estética sendo subjugada ao domínio ético-moral, perdendo o belo seu caráter autônomo? Ou, por outro lado, não estaria a própria autonomia moral recebendo um princípio heteronômico em seu interior? Enquanto Ideal a ser buscado, não seria a cultura estética já um fim, *deixando sua condição de mero instrumento do progresso moral? Não seria a educação estética, pela própria condição mista da natureza humana, a meta última a que o homem pode aspirar para a sua humanidade?*

Essas ambiguidades derivam, sem dúvida, da proximidade entre ética e estética na obra de Schiller. O homem estético (que é também o virtuoso) tem como imperativo aproximar *dignidade e felicidade, dever e prazer no belo ou, sendo gênio, na obra de arte. Ora, visto que essa tarefa só pode ser solucionada por "aproximação", já que o jogo estético puro é um Ideal inatingível na realidade, não estaria a estética destinada a ser, paradoxalmente, um sistema jamais "acabado"? Criada à imagem e semelhança de uma natureza humana que ainda deve ser, não estaria a doutrina do belo fadada à condição de uma eterna ciência filosófica em construção? Ou quiçá sua força resida justamente nessa imperfeição?*

---

[23] Carta XXIV, p. 125.

A Educação Estética do Homem numa série de cartas foi publicada pela primeira vez em três partes na revista *Horen*, editada por Schiller: as Cartas de I a IX no n. 1; as de X a XVI, no n. 2; e as de XVII a XXVII, no n. 6 (todos do ano de 1795). Existe uma tradução — esgotada — para o português, publicada pela editora Herder, em 1963, com introdução e notas de Anatol Rosenfeld. A tradução é de Roberto Schwarz (texto que serviu de apoio à presente versão).

As notas no final do volume pretendem sobretudo rastrear as fontes das reflexões contidas no ensaio (neste sentido, sempre que possível foram traduzidas as passagens correspondentes nas *Cartas a Augustenburg,* as quais, como já se disse, delineiam boa parte das motivações do autor). A edição utilizada foi a das *Obras Completas* em cinco volumes da editora Carl Hanser (Munique, 1984, 7. ed.), organizadas e anotadas por Gerhard Fricke e Herbert G. Göpfert.

A EDUCAÇÃO ESTÉTICA DO HOMEM
numa série de cartas

> *"Si c'est la raison qui fait l'homme,
> c'est le sentiment qui le conduit."*
>
> J.-J. Rousseau[1]

CARTA I

Permitireis que vos exponha numa série de cartas os resultados de minhas investigações *sobre o belo e a arte*. Sinto vivamente o peso de um tal empreendimento, mas também seu encanto e sua dignidade. Falarei de um objeto que está em contato imediato com a melhor parte de nossa felicidade e não muito distante da nobreza moral da natureza humana. Defenderei a causa da beleza perante um coração que sente seu poder e o exerce, e que tomará a si a parte mais pesada de meu encargo nesta investigação que exige, com igual frequência, o apelo não só a princípios, mas também a sentimentos.

Transformando generosamente em meu dever aquilo que eu queria pedir-vos como um favor, fazeis com que pareça um mérito meu onde apenas cedi à minha inclinação. A liberdade no proceder que me prescreveis não é coerção, é necessidade minha. Pouco afeto às formas de escola, não estarei em perigo de pecar contra o bom gosto pelo seu mau uso. Minhas ideias, nascidas antes do trato regular comigo mesmo que da rica experiência do mundo ou da leitura, não negarão sua origem; serão culpadas de várias falhas, mas não de sectarismo; irão antes cair por fraqueza própria que ficar em pé por autoridade e força alheia.

Não quero ocultar a origem kantiana[2] da maior parte dos princípios em que repousam as afirmações que se seguirão; à minha incapacidade, entretanto, e não àqueles princípios, fique atribuída a reminiscência de qualquer escola filosófica que acaso a vós se imponha. A liberdade de vosso espírito será intocável para mim. Vossos próprios sentimentos fornecer-me-ão os fatos sobre os quais construirei; vosso pensamento livre ditará as leis segundo as quais se deverá proceder.

Embora as ideias que dominam a parte prática do sistema kantiano sejam objeto de controvérsia entre os filósofos, ouso dizer que mereceram sempre o consenso entre os homens. Despidas de sua forma técnica, aparecerão como antigas exigências da razão comum, como fatos do instinto moral, que a sábia natureza impôs ao homem como tutor, até que o conhecimento claro o emancipe.

Essa mesma forma técnica, que torna a verdade visível ao entendimento, a oculta, porém, ao sentimento; pois o entendimento, infelizmente, tem de destruir o objeto do sentido interno quando quer apropriar-se dele. Como o químico, é pela dissolução que o filósofo encontra a unidade, é pelo tormento da arte[3] que encontra a obra da natureza espontânea. Para apreender a aparência fugaz, ele tem de fixá-la aos grilhões da regra, descamar seu belo corpo em conceitos e conservar seu espírito vivo numa precária carcaça verbal. Espanta ainda que já não se reconheça o sentimento natural numa tal cópia e que a verdade pareça um paradoxo no relato do analítico?[4]

Tende, pois, indulgência se as investigações seguintes, para aproximar seu objeto do entendimento, afastarem-no dos sentidos. O que é dito da experiência moral vale em maior medida para o fenômeno da beleza. Toda a sua magia reside em seu mistério, e a supressão do vínculo necessário de seus elementos é também a supressão de sua essência.

CARTA II

Não haveria uso melhor para a liberdade que me concedeis do que chamar vossa atenção para o palco das belas-artes? Não será extemporânea a busca de um código de leis para o mundo estético, quando o moral tem interesse tão mais próximo, quando o espírito de investigação filosófica é solicitado urgentemente pelas questões do tempo a ocupar-se da maior de todas as obras de arte, a construção de uma verdadeira liberdade política?

Não quero viver noutro século, nem quero ter trabalhado para outro. É-se tanto cidadão do tempo quanto cidadão do Estado; e se se considera inconveniente ou mesmo proibido furtar-se aos costumes e hábitos do círculo em que se vive, por que seria menos dever considerar a voz da necessidade e do gosto do século na escolha do próprio agir?

Esta voz, entretanto, não parece resultar em favor da arte; ao menos não daquela para a qual se voltarão minhas investigações. O curso dos acontecimentos deu ao gênio da época uma direção que ameaça afastá-lo mais e mais da arte do Ideal.[5] Esta tem de abandonar a realidade e elevar-se, com decorosa ousadia, para além da privação; pois a arte é filha da liberdade[6] e quer ser legislada pela necessidade do espírito, não pela privação da matéria. Hoje, porém, a privação impera e curva em seu jugo tirânico a humanidade decaída. A *utilidade* é o grande ídolo do tempo; quer ser servida por todas as forças e cultuada por todos os talentos. Nesta balança grosseira, o mérito espiritual da arte nada pesa, e ela, roubada de todo estímulo, desaparece do ruidoso mercado do século. Até o espírito de investigação filosófica arranca, uma a uma, as províncias da imaginação, e as fronteiras da arte vão-se estreitando à medida que a ciência amplia as suas.

Cheios de expectativa, os olhares do filósofo e do homem do mundo voltam-se para a cena política, onde, acreditam, decide-se agora o grande destino da humanidade.[7] Abster-se desse diálogo comum a todos não trairá uma reprovável indiferença em relação ao bem da sociedade? Esse grande litígio jurídico, que toca, por seu conteúdo e suas consequências, a todo aquele que se diga homem, interessa especialmente, dada a maneira como é tratado, àquele que pensa por si mesmo.[8] Uma questão que sempre fora resolvida pelo cego direito do mais forte passa agora, parece, a depender do tribunal da razão pura, e quem quer que seja capaz de colocar-se no centro do todo, elevando seu indivíduo à espécie, poderá considerar-se um jurado nesta corte da razão, pois na qualidade de homem e cidadão do mundo ele é também parte interessada, próxima ou longinquamente envolvida no resultado. O que se decide neste litígio não é apenas sua causa particular; deve-se julgar, ademais, segundo leis que ele, enquanto espírito racional, tem o direito e a capacidade de ditar.

Quão atraente deveria ser para mim examinar um tal objeto em companhia de um pensador de espírito e liberal cidadão do mundo, deixando a decisão a um coração que com belo entusiasmo dedica-se ao bem da humanidade! Que agradável surpresa encontrar, no campo das Ideias, o mesmo resultado que o vosso espírito sem preconceito, apesar da grande diferença de posição e da enorme distância imposta pelas relações do mundo real! Resisto a essa amável tentação deixando que a beleza preceda a liberdade, e penso poder não apenas desculpá-lo mediante minha inclinação, mas justificá-lo mediante princípios. Espero convencer-vos de que esta matéria é menos estranha à necessidade que ao gosto de nosso tempo, e mostrarei que para resolver na experiência o problema político é necessário caminhar através do estético, pois é pela beleza que se vai à liberdade.[9] Essa prova, contudo, não poderá ser feita sem que eu traga à vossa memória os princípios mediante os quais a razão se guia em geral numa legislação política.

CARTA III

A natureza não trata melhor o homem que suas demais obras: age em seu lugar onde ele ainda não pode agir por si mesmo como inteligência livre. O que o faz homem, porém, é justamente não se bastar com o que dele a natureza fez, mas ser capaz de refazer regressivamente com a razão os passos que ela antecipou nele, de transformar a obra da privação em obra de sua livre escolha e de elevar a necessidade física à necessidade moral.[10]

Ele desperta de seu torpor sensível, reconhece-se homem, olha à sua volta e encontra-se no Estado. A coerção das privações para ali o lançou, antes que em sua liberdade pudesse escolher esse estado; a necessitação erigiu este último segundo leis da natureza, antes que *ele* pudesse erigi-lo segundo leis da razão. Todavia, enquanto pessoa moral, ele não podia nem pode — e ai dele se pudesse! — satisfazer-se com esse Estado da necessitação, nascido apenas de sua determinação natural e somente para ela voltado. Ele abandona, portanto, com o mesmo direito que o ser homem lhe confere, o domínio da cega necessidade,como já o havia abandonado em tantas outras ocasiões através de sua liberdade; assim, para dar apenas *um* exemplo, ele apaga pelos costumes e enobrece pela beleza o caráter vulgar que a carência imprimiu ao amor sexual. De uma maneira artificial, ele recupera a infância[11] em sua maturidade, forma na Ideia um *estado de natureza* que não lhe é dado por nenhuma experiência, mas é posto como necessário por sua determinação racional, empresta-se neste estado ideal um fim último que não conheceu em seu estado de natureza real, e uma escolha da qual outrora não seria capaz, procedendo então como se começasse pelo início e, por claro saber e livre decisão, trocasse o estado da independência pelo dos contratos.[12] Por mais engenhoso e sólido que seja o cego arbítrio na fundação de sua obra, por arrogante que seja ao afirmá-la e ainda que a cerque de aparência venerável — o homem pode, nesta operação, considerar tudo como não acontecido, pois a obra de forças cegas não possui autoridade ante a qual a liberdade precise curvar-se, e tudo deve ser submetido ao supremo fim último, que a razão põe em sua personalidade. Desse modo surge e justifica-se a tentativa de um povo, emancipado já, de transformar em Estado ético o seu Estado natural.

Esse Estado natural (como podemos denominar todo corpo político que tenha sua instalação originalmente derivada de forças e não de leis), embora contradiga o homem moral, para o qual a mera conformidade à lei deve servir como lei, é suficiente para o homem físico, que estabelece leis para si apenas para lidar com forças. O homem físico, entretanto, é *real*, enquanto o ético, apenas *problemático*. Se a razão suprime, portanto, o Estado natural para substituí-lo pelo seu, como tem necessariamente de fazer, ela confronta o homem físico e real com o problemático e ético, confronta a existência da sociedade com o Ideal apenas possível (ainda que moralmente necessário) de sociedade. Ela toma ao homem algo que ele realmente possui, e sem o qual nada possui, para indicar-lhe algo que ele poderia e deveria possuir; e se esperasse mais dele, arrancar-lhe-ia também, em nome de uma humanidade que ainda lhe falta, e que pode faltar-lhe sem prejuízo de sua existência, os próprios meios para a animalidade que, no entanto, é a condição de sua humanidade. Sem que ele tenha tido tempo de apegar-se por sua vontade à lei, ela terá tirado sob seus pés a escada da natureza.

A grande dificuldade reside, pois, no fato de que a sociedade física não pode cessar um instante sequer no *tempo*, enquanto a sociedade moral se forma *na Ideia*, de que a *existência* do homem não pode correr perigo por causa de sua *dignidade*. Quando o artesão conserta o mecanismo do relógio, deixa que a corda se acabe; o mecanismo vivo do Estado, entretanto, precisa ser corrigido enquanto pulsa, as engrenagens são trocadas enquanto giram. É preciso, portanto, procurar um suporte para a subsistência da sociedade que a torne independente do Estado natural que se quer dissolver.

Este suporte não se encontra no caráter natural egoísta e violento do homem, que visa muito mais à destruição que à conservação da sociedade; encontra-se tampouco em seu caráter ético, que pela pressuposição deve ser primeiro formado e com o qual, por ser livre e *nunca aparecer*, o legislador não poderia contar com segurança e no qual não poderia influir.

26

Seria preciso separar, portanto, do caráter físico o arbítrio, e do moral a liberdade — seria preciso que o primeiro concordasse com leis e que o segundo dependesse de impressões; seria preciso que aquele se afastasse um pouco da matéria e este dela se aproximasse um tanto —, para engendrar um terceiro caráter, aparentado com os outros dois, que estabelecesse a passagem do domínio das simples forças para o das leis, e que, longe de impedir a evolução do caráter moral, desse à eticidade invisível o penhor dos sentidos.

CARTA IV

Uma coisa é certa: somente o predomínio de um tal caráter num povo poderá tornar inofensiva uma transformação do Estado segundo princípios morais, e somente um tal caráter poderá assegurar-lhe a duração. Na edificação de um Estado moral apoiamo-nos sobre a lei moral como força ativa, e a vontade livre é transportada para o reino das causas, onde tudo se articula com rigorosa necessidade e constância. Sabemos, entretanto, que as determinações da vontade humana permanecem sempre contingentes e que apenas no Ser absoluto as necessidades física e moral coincidem. Se queremos, portanto, contar com a conduta ética do homem como seus efeitos *naturais*, ela tem de ser natureza, e o homem já tem de ser levado por seus impulsos a um comportamento que só pode ser resultado de um caráter ético. A vontade do homem, contudo, é plenamente livre entre dever e inclinação; nenhum constrangimento físico pode intervir nesse direito régio de sua pessoa. Caso ela deva, então, conservar esta faculdade de escolha,[13] sem deixar de ser um elo seguro no encadeamento causal das forças, é preciso que os efeitos desses dois móbeis resultem perfeitamente iguais no reino dos fenômenos e que, apesar de toda a diversidade na forma, a matéria de seu querer permaneça a mesma; é preciso, portanto, que seus impulsos concordem suficientemente com sua razão para valer como uma legislação universal.

Todo homem individual, pode-se dizer, traz em si, quanto à disposição e destinação, um homem ideal e puro, e a grande tarefa de sua existência é concordar, em todas as suas modificações, com sua unidade inalterável.* Este homem puro, que se dá a conhecer com maior ou menor nitidez em cada sujeito, é representado pelo *Estado*, a forma mais objetiva e por assim dizer canônica na qual a multiplicidade dos sujeitos tenta unificar-se. É possível pensar, porém, dois modos diversos de o homem tem-

---

* Remeto aqui a uma publicação recente: *Preleções sobre a Destinação do Douto*, de meu amigo Fichte, onde se encontra uma dedução bastante clara e por uma via jamais tentada dessa proposição.[14]

poral coincidir com o homem ideal, e outras tantas de o Estado afirmar-se nos indivíduos: ou pela opressão do homem empírico pelo puro, quando o Estado suprime os indivíduos; ou pelo fato de o indivíduo *tornar-se* Estado, quando o homem no tempo se *enobrece* em direção ao homem na Ideia.

É certo que na avaliação moral unilateral esta diferença desaparece; pois a razão se satisfaz apenas se sua lei valha incondicionalmente; na avaliação antropológica plena, porém, quando o conteúdo conta ao lado da forma e também o sentimento vivo tem a sua voz, ela será considerada tanto mais. A razão pede unidade, mas a natureza quer multiplicidade, e o homem é solicitado por ambas as legislações. A lei da primeira está gravada nele por uma consciência incorruptível; a da segunda por um sentimento inextinguível. Daí ser sempre testemunho de uma formação cultural ainda precária se o caráter ético só se afirma com o sacrifício do natural; e é ainda muito imperfeita uma constituição do Estado que só seja capaz de produzir a unidade pela supressão da multiplicidade. O Estado não deve honrar apenas o caráter objetivo e genérico nos indivíduos, mas também o subjetivo e específico; não deve, ao ampliar o reino invisível dos costumes, despovoar o reino do fenômeno.

Quando o artista mecânico toma nas mãos a massa amorfa para dar-lhe a forma de seus fins, não tem receio de fazer-lhe violência; pois a natureza que ele elabora não merece por si respeito algum, ele não quer o todo pelas partes, mas as partes pelo todo. Quando o artista do belo[15] toma nas mãos esta mesma massa, tampouco temerá fazer-lhe violência, embora evite mostrá-la. Não respeita a matéria que elabora mais do que a respeitava o artista mecânico; procurará, entretanto, por uma aparente deferência para com ela, iludir o olho que protege a liberdade da mesma. É muito outra a situação do artista pedagogo e político, que faz do homem ao mesmo tempo seu material e sua tarefa. Aqui o fim retoma à matéria, e é somente porque o todo serve às partes que as partes devem submeter-se ao todo. O respeito que o artista do belo parece demonstrar para com sua matéria é muito diverso daquele com que o artista político deve aproximar-se da sua, cuidando de sua especificidade e personalidade não apenas subjetivamente, para um efeito ilusório sobre os sentidos, mas objetivamente e para a essência interna.

O Estado deve ser uma organização que se forma por si e para si, e é justamente por isso que ele só poderá tornar-se real quando suas partes tiverem se afinado com a Ideia do todo. Por servir de representante da humanidade pura e objetiva no seio de seus cidadãos, o Estado terá de observar para com eles a mesma relação em que estes estão para si mesmos e só poderá honrar-lhes a humanidade subjetiva no *mesmo* grau em que ela estiver elevada à humanidade objetiva. Se o homem interior é uno consigo, ele salva sua especificidade mesmo na mais alta universalização do seu comportamento, e o Estado será apenas o intérprete de seu belo instinto, a fórmula mais nítida de sua legislação interna. Se, por outro lado, no caráter de um povo o homem subjetivo se opõe ainda tão contraditoriamente ao objetivo que apenas a opressão do primeiro permita a vitória do segundo, o Estado empunhará contra o cidadão o severo rigor da lei e deverá, para não ser sua vítima, espezinhar sem consideração uma individualidade tão hostil.[16]

O homem, entretanto, pode ser oposto a si mesmo de duas maneiras: como selvagem, quando seus sentimentos imperam sobre seus princípios, ou como bárbaro, quando seus princípios destroem seus sentimentos. O selvagem despreza a arte e reconhece a natureza como sua soberana irrestrita; o bárbaro escarnece e desonra a natureza, mas continua sendo escravo de seu escravo por um modo frequentemente mais desprezível que o do selvagem. O homem cultivado faz da natureza uma amiga e honra sua liberdade, na medida em que apenas põe rédeas a seu arbítrio.

Quando, portanto, a razão transporta para a sociedade física sua unidade moral, ela não deve ferir a multiplicidade da natureza. Quando a natureza procura afirmar sua multiplicidade no edifício moral da sociedade, isso não deve acarretar ruptura alguma à unidade moral; a força vitoriosa repousa a igual distância da uniformidade e da confusão. É preciso, portanto, encontrar *totalidade* de caráter no povo, caso este deva ser capaz e digno de trocar o Estado da privação pelo Estado da liberdade.

CARTA V

Será este o caráter revelado pelo nosso tempo, pelos acontecimentos contemporâneos? Volto agora minha atenção para o objeto que mais salta aos olhos neste amplo quadro.

É verdade que o prestígio da opinião decaiu, que o arbítrio está desmascarado e, mesmo armado de poder, não é capaz de alcançar dignidade alguma; o homem despertou de sua longa indolência e ilusão, com forte maioria de votos exige a restituição de seus direitos inalienáveis. Ele não se satisfaz, entretanto, com exigi-los; aqui e acolá ergue-se para tomar pela violência aquilo que, segundo sua opinião, lhe é negado injustamente. O edifício do Estado natural balança, seus fundamentos podres cedem, parece dada a possibilidade física de entronizar a lei, de honrar finalmente o homem enquanto fim em si e fazer da verdadeira liberdade o fundamento do vínculo político. Esperança vã! A possibilidade moral está ausente, e o momento generoso não encontra uma estirpe que lhe seja receptiva.[17]

O homem retrata-se em seus atos, e que figura é esta que se espelha no drama de nossos dias! Aqui, selvageria, mais além, lassidão: os dois extremos da decadência humana, e os dois unidos em *um* espaço de tempo!

Nas classes mais baixas e numerosas são-nos expostos impulsos grosseiros e sem lei, que pela dissolução do vínculo da ordem civil se libertam e buscam, com furor indomável, sua satisfação animal. É possível, portanto, que a humanidade objetiva tivesse motivos para queixar-se do Estado; a subjetiva tem de honrar suas instituições. Será lícito censurá-lo por descuidar da dignidade da natureza humana, quando ainda era válido defender-lhe a existência? ou por ter-se apressado em separar pela força de atração ou em unir pela forma de coesão, quando ainda não se podia pensar na força formadora? Sua dissolução é já sua justificação. A sociedade desregrada recai no reino elementar em vez de ascender à vida orgânica.

Do outro lado, as classes civilizadas dão-nos a visão ainda mais repugnante da languidez e de uma depravação do caráter, tanto mais revoltante porque sua fonte é a própria cultura.[18] Não recordo mais que filósofo, antigo ou moderno,[19] fez a observação de que o mais nobre é que é o mais abominável em sua destruição; observação que revela sua verdade também na moral. Do filho da natureza resulta, quando descamba, um furioso; do discípulo da arte, um indigno. A ilustração do entendimento, da qual se gabam não sem razão os estamentos refinados, mostra em geral uma influência tão pouco enobrecedora sobre as intenções que até, pelo contrário, solidifica a corrupção por meio de máximas. Negamos a natureza no campo que de direito é seu para experimentar, no campo moral, sua tirania; à medida que resistimos às suas impressões, dela tiramos nossos princípios. A decência afetada de nossos costumes recusa à natureza o *primeiro* voto perdoável, para conceder-lhe em nossa ética materialista o voto *último* e decisivo. O egoísmo fundou o seu sistema em pleno seio da sociabilidade mais refinada, e experimentamos todas as infecções e todos os tormentos da sociedade, sem que daí surja um coração sociável. Submetemos nosso livre juízo à sua opinião despótica, nosso sentimento aos seus usos bizarros, nossa vontade às suas seduções; contra seus direitos sagrados afirmamos apenas o nosso arbítrio. A orgulhosa autossuficiência confrange o coração do homem do mundo, enquanto o do grosseiro homem natural ainda sabe pulsar com simpatia; como numa cidade em chamas, cada qual procura subtrair à devastação apenas a sua miserável propriedade. Somente na total abdicação da sensibilidade acredita-se encontrar abrigo contra seus enganos, e a zombaria, que por vezes pune saudavelmente o fanático, escarnece, com igual impiedade, do sentimento mais nobre. A cultura, longe de nos pôr em liberdade, apenas desenvolve uma nova carência a cada força que forma em nós; os laços físicos estreitam-se mais e mais ameaçadores, até que o temor da perda sufoque mesmo o impulso ardente de aperfeiçoamento, e a máxima da obediência passiva valha como a suprema sabedoria humana. Vê-se, assim, o espírito do tempo balançar entre perversão e grosseria, entre desnaturado e meramente natural, entre superstição e descrença moral, e é apenas o contrapeso do ruim que ainda lhe põe, por vezes, limites.

CARTA VI

Ter-me-ei excedido contra o nosso tempo nesta descrição? Não espero esta censura; antes, vejo outra: a de ter provado demais. É bem verdade, direis, que este quadro se assemelha à humanidade atual, mas assemelha-se também a todos os povos a caminho da cultura, pois sem distinção tiveram de abandonar a natureza através da sofisticação, antes de poderem retomar a ela pela razão.

Numa observação mais atenta do caráter do tempo, entretanto, admirar-nos-emos do contraste que existe entre a forma atual da humanidade e a passada, especialmente a grega. A glória dá formação e do refinamento, que fazemos valer, com direito, contra qualquer outra mera natureza, não nos pode servir contra a natureza grega, que desposou todos os encantos da arte e toda a dignidade da sabedoria sem tornar-se, como a nossa, vítima dos mesmos. Não é apenas por uma simplicidade, estranha a nosso tempo, que os gregos nos humilham; são também nossos rivais, e frequentemente nossos modelos, naqueles mesmos privilégios com que habitualmente nos consolamos da inaturalidade de nossos costumes. Vemo-los ricos, a um só tempo, de forma e de plenitude, filosofando e formando, delicados e enérgicos, unindo a juventude da fantasia à virilidade da razão em magnífica humanidade.[20]

Naqueles dias do belo despertar das forças espirituais, os sentidos e o espírito não tinham ainda domínios rigorosamente separados; a discórdia não havia incitado ainda a divisão belicosa e a demarcação das fronteiras. A poesia não cortejara a espirituosidade,[21] nem a especulação se rebaixara pelo sofisma. Podiam, se necessário, trocar os seus misteres, pois as duas, cada qual a seu modo, honravam a verdade. Por mais alto que a razão se elevasse, trazia sempre consigo, amorosa, a matéria, e por fina e rente que a cortasse, nunca a mutilava. Embora decompusesse a natureza humana e a projetasse, ampliada em suas partes, em seu magnífico círculo divino, não a dilacerava, mas a mesclava de maneiras diversas, já que em deus algum faltava a humanidade inteira. Quão diferente é a situação entre nós outros modernos! Também entre nós se projetou a imagem da espécie, ampliada em suas partes, nos indivíduos — mas por fragmentos, não em combinações diferentes, de modo que, para reconstituir a totalidade da espécie, é preciso indagar, um a um, todos os indivíduos. Entre nós, é-se tentado a afirmar, as faculdades da mente manifestam-se também divididas na experiência, tal como o psicólogo as distingue na representação, e não vemos apenas sujeitos isolados, mas também classes inteiras de pessoas que desenvolvem apenas uma parte de suas potencialidades, enquanto as outras, como órgãos atrofiados, mal insinuam seu fraco vestígio.

Não desconheço as vantagens que a estirpe de nossos dias, vista como uma unidade na balança da razão, pode afirmar em face das melhores dos tempos que nos precederam; mas é forçoso que ela empreenda a luta com fileiras cerradas, para que se meça o todo com o todo. Que indivíduo moderno apresentar-se-ia para lutar, homem a homem, contra um ateniense pelo prêmio da humanidade?

De onde vem esta relação desvantajosa dos indivíduos, a despeito da superioridade do conjunto? Por que o indivíduo grego era capaz de representar seu tempo, e por que não pode ousá-lo o indivíduo moderno? Porque aquele recebia suas forças da natureza, que tudo une, enquanto este as recebe do entendimento, que tudo separa.

Foi a própria cultura que abriu essa ferida na humanidade moderna. Tão logo a experiência ampliada e o pensamento mais preciso tomaram necessária uma separação mais nítida das ciências, assim como, por outro lado, o mecanismo mais intrincado dos Estados tomou necessária uma delimitação mais rigorosa dos estamentos e dos negócios, rompeu-se a unidade interior da natureza humana e uma luta funesta separou as suas forças harmoniosas. O entendimento intuitivo e o especulativo dividiram-se com intenções belicosas em campos opostos, cujos limites passaram a vigiar com desconfiança e ciúme, e com a esfera à qual limitou sua atuação, cada um deu a si mesmo um senhor que não raro termina por oprimir as demais potencialidades. Enquanto aqui a imaginação luxuriosa devasta as penosas plantações do entendimento, mais além o espírito de abstração consome o fogo junto ao qual o coração deveria aquecer-se e no qual deveria inflamar-se a fantasia.

Este dilaceramento que arte e erudição introduziram no homem interno foi aperfeiçoado e generalizado pelo novo espírito de governo. Certamente não se podia esperar que a organização simples das primeiras repúblicas sobrevivesse à singeleza dos primeiros costumes e das relações primevas; mas, em lugar de ascender a uma vida animal superior, ela degradou-se até uma mecânica vulgar e grosseira. A natureza de pólipo dos Estados gregos, onde cada indivíduo gozava uma vida independente e podia, quando necessário, elevar-se à totalidade, deu lugar a uma engenhosa engrenagem cuja vida mecânica, em sua totalidade, é formada pela composição de infinitas partículas sem vida. Divorciaram-se o Estado e a Igreja, as leis e os costumes; a fruição foi separada do trabalho; o meio, do fim; o esforço, da recompensa. Eternamente acorrentado a um pequeno fragmento do todo, o homem só pode formar-se enquanto fragmento; ouvindo eternamente o mesmo ruído monótono da roda que ele aciona, não desenvolve a harmonia de seu ser e, em lugar de imprimir a humanidade em sua natureza, toma-se mera reprodução de sua ocupação, de sua ciência. Mesmo esta participação parca e fragmentária, porém, que une ainda os membros isolados ao todo, não depende de formas que eles se dão espontaneamente (pois como se poderia confiar à sua liberdade um mecanismo tão artificial e avesso à luz?), mas é-lhes prescrita com severidade escrupulosa num formulário ao qual se mantém preso o livre conhecimento. A letra morta substitui o entendimento vivo, a memória bem treinada é guia mais seguro que gênio e sensibilidade.

Quando a comunidade toma a profissão medida do homem, quando honra num cidadão somente a memória, noutro apenas o entendimento tabelar, e num terceiro a habilidade mecânica; quando aqui exige apenas conhecimento, indiferente ao caráter, e acolá considera a maior turvação do entendimento compensada pelo espírito de ordem e pelo comportamento legal; quando quer ver ao mesmo tempo essas habilidades isoladas exercitadas numa grande intensidade, da mesma forma que exime o sujeito de toda extensão — pode admirar que as demais disposições da mente sejam preteridas para que os cuidados todos se voltem para uma única, que traz honra e recompensa? Embora saibamos que o gênio poderoso não faz dos limites de sua profissão os limites de sua atividade, é certo que o talento mediano consome no ofício que lhe tenham atribuído toda a parca soma de suas forças, e é preciso ser já uma cabeça incomum para conservar suas predileções sem prejuízo de sua profissão. Além disso, é raramente uma boa recomendação aos olhos do Estado que as forças superem os encargos ou que a mais alta carência espiritual do homem de gênio rivalize com o seu ofício. É o Estado tão ciumento da posse exclusiva de seus servidores para compartilhar mais facilmente seu homem com uma Vênus Citereia que com uma Vênus Urânia[22] — e quem pode negar-lhe o acerto?

Vai-se aniquilando assim, pouco a pouco, a vida concreta individual, para que o abstrato do todo prolongue sua existência precária, e o Estado continua eternamente estranho a seus cidadãos, pois que o sentimento não pode encontrá-lo em parte alguma. Forçada a simplificar a multiplicidade dos homens pela classificação e recebendo a humanidade somente por representações de segunda mão, a parte governante acaba por perdê-la completamente de vista, já que a mistura a um mero produto do entendimento, e a parte governada não pode receber senão com frieza as leis que são tão pouco endereçadas a ela. Cansada, finalmente, de manter um vínculo que o Estado propicia tão pouco, a sociedade positiva decompõe-se num estado de natureza moral (destino que de há muito é o da maioria dos Estados europeus)[23] no qual o poder público é apenas um partido a *mais*, odiado e ludibriado por aquele que o torna necessário e acatado somente por aquele que pode dispensá-lo.

Sofrendo esta dupla pressão, do interior e do exterior, poderia a humanidade tomar caminho diverso daquele que realmente tomou? Enquanto se empenhava pelas propriedades inalienáveis no reino das Ideias, o espírito especulativo teve de tornar-se um estranho no mundo sensível, perdendo a matéria em troca da forma. O espírito de negócio, fechado num círculo uniforme de objetos e, neste, enclausurado ainda mais pelas fórmulas, tinha de perder de vista o todo e empobrecer juntamente com sua esfera. Assim como a tentação do primeiro é modelar a realidade de acordo com o pensável, e elevar as condições subjetivas de sua faculdade de representação a leis constitutivas da existência das coisas, o segundo cai no extremo oposto, avaliando toda a experiência em geral segundo um fragmento particular de experiência e querendo aplicar, sem distinção, as regras de seu negócio a todos os outros. Enquanto um foi vítima da sutileza vazia, o outro o foi da limitação pedante, pois que aquele estava demasiado alto para o individual, e este demasiado baixo para o todo. As desvantagens desta posição espiritual não se limitaram, entretanto, ao saber e à produção; estenderam-se também ao sentimento e à ação. Sabemos que a sensibilidade da mente depende, segundo seu grau, da vivacidade e, segundo sua extensão, da riqueza da imaginação. Ora, o predomínio da faculdade analítica rouba necessariamente a força e o fogo à fantasia, assim como a esfera mais limitada de objetos diminui-lhe a riqueza. Por isso o pensador abstrato tem, frequentemente, um coração *frio*, pois desmembra as impressões que só como um todo comovem a alma; o homem de negócios tem frequentemente um coração *estreito*, pois sua imaginação, enclausurada no círculo monótono de sua ocupação, é incapaz de elevar-se à compreensão de um tipo alheio de representação.

Estava em meu caminho revelar a diretriz danosa e as fontes do caráter de nosso tempo, e não as vantagens com que a natureza o compensa. Concedo-vos de bom grado que, embora muito pouco de bom possa haver para os indivíduos nessa fragmentação de seu ser, inexiste outra maneira de a espécie progredir. A aparição da humanidade grega foi indiscutivelmente um máximo que não podia perdurar neste nível nem elevar-se mais. Não podia perdurar porque o entendimento, pelo acúmulo que até então realizara, tinha inevitavelmente de ser forçado a separar-se da sensação e da intuição, e de empenhar-se pela distinção do conhecimento; não podia também elevar-se mais porque apenas um certo grau de clareza pode coexistir com uma determinada profusão e calor. Os gregos haviam alcançado tal grau, e caso quisessem prosseguir no sentido de uma formação mais alta deveriam, como nós, abrir mão da totalidade de seu ser e buscar a verdade por rotas separadas.

Não houve outro meio de desenvolver as múltiplas potencialidades do homem senão opondo-as. Este antagonismo das forças é o grande instrumento da cultura, mas apenas o instrumento; pois, enquanto dura, está-se apenas a caminho dela.[24] É somente por isolarem-se no homem e pretenderem uma legislação exclusiva que as diversas forças entram em conflito com a verdade das coisas, forçando o senso comum, em geral pousado com preguiçosa suficiência na aparência exterior, a penetrar na profundeza dos objetos. Enquanto o entendimento puro usurpa uma autoridade no mundo sensível e o entendimento empírico procura submetê-lo às condições da experiência, as duas disposições maturam até o limite possível e esgotam toda a extensão de suas esferas. Enquanto aqui a imaginação, por seu arbítrio, ousa dissolver a ordem do mundo, força acolá a razão a ascender às fontes mais elevadas do conhecimento e a buscar, contra ela, o auxílio na lei da necessidade.

O exercício unilateral das forças conduz o indivíduo inevitavelmente ao erro;[25] a espécie, porém, à verdade. Ao concentrarmos, justamente, toda a energia de nosso espírito num *único* foco e contrairmos todo o nosso ser em uma única força, damos asas a esta força isolada e a conduzimos artificialmente para além dos limites que a natureza parece ter-lhe imposto. É certo que os indivíduos humanos, tomados todos juntos e com a capacidade visual que a natureza lhes deu, nunca chegariam a vislumbrar o satélite de Júpiter, que o telescópio desvendou para o astrônomo; como é seguro, também, que a capacidade de pensamento humana não teria elaborado uma análise do infinito ou uma crítica da razão pura se a razão não se isolasse em sujeitos de especial vocação, se não tivesse se libertado de toda matéria e armado o seu olhar para o absoluto, através do mais alto esforço de abstração. Entretanto, dissolvido em entendimento puro e pura intuição, será o espírito capaz de trocar as severas algemas da lógica pelo livre andamento da força poética, de apreender a individualidade das coisas com um sentido fiel e casto? A natureza coloca, assim, um limite para o gênio universal, que este não pode transgredir; e a verdade irá fazendo mártires enquanto a filosofia tiver na prevenção ao erro a sua mais nobre ocupação.

Ainda que o mundo como um todo ganhe, portanto, com a formação separada das forças humanas, é inegável que os indivíduos atingidos por essa formação unilateral sofrem sob a maldição desse fim universal. Ainda que o exercício ginástico forme corpos atléticos, somente o jogo livre e regular dos membros desenvolve a beleza. Assim também a tensão de forças espirituais isoladas gera homens extraordinários, mas apenas a temperatura uniforme das mesmas os faz felizes e perfeitos. Qual, pois, a relação em que estaríamos com as épocas do mundo passadas e futuras, caso a formação da natureza humana tornasse necessário um tal sacrifício? Teríamos sido os servos da humanidade, teríamos feito trabalho servil por ela durante milênios e imprimido em nossa natureza mutilada as marcas degradantes dessa servidão — para que a geração futura possa cuidar de sua saúde moral num ócio ditoso e desenvolver a livre estatura de sua humanidade!

Pode o homem ser destinado a negligenciar a si mesmo em vista de outro fim qualquer? Deveria a natureza, através de seus fins, roubar-nos uma perfeição que a razão, através dos seus, nos prescreve? É falso, portanto, afirmar que a formação das formas isoladas torna necessário o sacrifício de sua totalidade; e mesmo que a lei da natureza se empenhe por isso, tem de depender de nós restabelecer em nossa natureza, através de uma arte mais elevada, essa totalidade que foi destruída pelo artifício.

CARTA VII

Seria o caso de esperarmos tal obra do Estado? Impossível, pois o Estado em sua forma presente originou o mal, e o Estado, a que se propõe a razão na Ideia, não poderia fundar esta humanidade melhor, pois nela teria de ser fundado. Minhas investigações, portanto, teriam me reconduzido ao ponto do qual me afastaram por algum tempo. Longe de apresentar aquela forma de humanidade que reconhecemos como condição necessária de um aperfeiçoamento moral do Estado, a época mostra algo frontalmente oposto. A serem corretos, portanto, os fundamentos que estabeleci e confirmado o meu quadro do presente pela experiência, será necessário considerar extemporânea toda tentativa de uma tal modificação do Estado, e quimérica toda a esperança nela fundada, até que seja de novo suprimida a cisão no interior do homem e sua natureza se desenvolva o suficiente para ser, ela mesma, artista e capaz de assegurar realidade à criação política da razão.

Em sua criação física, a natureza aponta-nos o caminho a ser percorrido na criação moral. Somente depois de apaziguar a luta das forças elementares nos organismos inferiores é que ela se ergue até a nobre formação do homem físico. Assim também no homem ético, o conflito dos elementos, dos impulsos cegos deve ser primeiro acalmado, e a oposição grosseira há de ter cessado antes que se possa ousar favorecer a multiplicidade. Por outro lado, antes que se possa submeter sua multiplicidade à unidade do Ideal, é preciso que a autonomia de seu caráter esteja assegurada e que a submissão a formas estranhas e despóticas tenha dado lugar a uma liberdade decorosa. Onde o homem natural abusa de seu arbítrio da maneira mais desregrada, mal se lhe pode mostrar sua liberdade; onde o homem artificial quase não usa sua liberdade, não se lhe pode tomar o arbítrio. A aprovação de princípios liberais é traição ao todo quando ela se conjuga a forças ainda em fermentação, reforçando uma natureza já de si prepotente; a lei da unanimidade torna-se tirania contra o indivíduo quando conjugada à fraqueza e limitação física já dominantes, apagando assim as últimas centelhas de espontaneidade e particularidade.

O caráter da época, portanto, deve por um lado reerguer-se de sua profunda degradação, furtar-se à cega violência da natureza e, por outro, regressar à sua simplicidade, verdade e plenitude: uma tarefa para mais de *um* século. Até lá, concedo de bom grado, várias tentativas isoladas podem ser bem-sucedidas; no todo, porém, nada melhorará por esse meio, e a discordância no comportamento deporá sempre contra a unidade das máximas. Em outras partes do mundo a humanidade será honrada no negro; na Europa será humilhada no pensador. Os antigos princípios permanecerão, mas no traje do século, e a filosofia emprestará seu nome à opressão antes autorizada pela Igreja. O temor à liberdade, que aos primeiros experimentos se anuncia sempre inimiga, fará com que, de um lado, se atire aos braços de uma cômoda servidão, e, do outro, pelo desespero provocado por uma tutela pedante, se fuja para o selvagem descompromisso do estado de natureza. A usurpação apoiar-se-á na debilidade da natureza humana, e a insurreição em sua dignidade, até que finalmente a grande senhora de todas as coisas humanas, a força cega, intervenha e resolva o pretenso conflito de princípios como se fosse um vulgar pugilato.

CARTA VIII

Deve a filosofia então retirar-se, desencorajada e sem esperanças, deste campo? Enquanto o domínio das formas se amplia em todas as direções, deve este âmbito mais importante de todos ficar à mercê do acaso informe? Deve o conflito de forças cegas durar eternamente no mundo político sem que a lei da sociabilidade jamais vença o egoísmo hostil?

De maneira alguma! É verdade que a razão não empreenderá a luta imediata contra esse poder rude que resiste às suas armas, e, tal como o filho de Saturno na *Ilíada*, não descerá pessoalmente à arena escura.[26] Ela escolhe o mais digno dos combatentes, investe-o, como Zeus a seu descendente,[27] de armas divinas e, por meio da força vitoriosa deste, chega à grande decisão.

A razão fez o que pôde para encontrar e estabelecer a lei; sua aplicação depende da vontade corajosa e do vivo sentimento. Para que a verdade vença o conflito contra forças, é preciso que ela mesma se torne primeiro uma *força* e apresente um *impulso* como seu defensor no reino dos fenômenos; pois impulsos são as únicas forças motoras no mundo sensível. Se até agora ela não comprovou sua força vitoriosa, isso não se deve ao entendimento que não soube revelá-la, mas ao coração que a ela se fechou e ao impulso que por ela não agiu.

De onde vêm, pois, esse domínio ainda tão geral dos preconceitos e esse obscurecimento das mentes, a despeito de toda a luz que filosofia e experiência acenderam? Nossa época é ilustrada,[28] isto é, descobriram-se e tornaram-se públicos conhecimentos que seriam suficientes, pelo menos, para a correção de nossos princípios práticos. O espírito de livre investigação destruiu os conceitos ilusórios que por muito tempo vedaram o acesso à verdade, e minou o solo sobre o qual a mentira e o fanatismo ergueram seu trono. A razão purificou-se das ilusões dos sentidos e dos sofismas enganosos, e a própria filosofia, que a princípio fizera-nos rebelar contra a natureza, chama-nos de volta para seu seio com voz forte e urgente — onde reside, pois, a causa de ainda sermos bárbaros?

Uma vez que não está nas coisas, tem de haver nas mentes dos homens algo que impeça a compreensão da verdade, por luminosa que seja, e sua aceitação, por mais vivamente que se apresente à convicção. Um sábio antigo percebeu isso, deixando-o cifrado na expressão significativa: *sapere aude*.[29]

Ousa ser sábio. É necessário ânimo forte para combater os empecilhos que a inércia da natureza e a covardia do coração opõem à instrução. O mito antigo apresenta, não sem sentido, a deusa da sabedoria surgindo completamente armada da cabeça de Júpiter,[30] pois suas primeiras ocupações são guerreiras. Já ao nascer ela tem de travar um árduo combate contra os sentidos que não querem ser arrancados de seu doce repouso. A luta contra a privação desgasta e esgota a maior parte dos homens a ponto de não lhes restar força para uma nova luta mais árdua contra o erro. Satisfeitos de escaparem, eles mesmos, ao penoso esforço do pensar, concedem de bom grado aos outros a tutela sobre os seus conceitos, e se carências mais altas manifestam-se neles, agarram-se com fé ávida às fórmulas que Estado e clero têm reservadas em tais casos. Se estes homens infelizes merecem nossa compaixão, nosso justo desprezo atinge aqueles outros que, libertos do jugo das necessidades por um destino melhor, a ele se curvam por sua própria escolha. Estes preferem, aos raios da verdade que escorraçam a ilusão agradável de seus sonhos, o crepúsculo dos conceitos obscuros, em que o sentimento é mais vivo e a fantasia arbitrária cria formas confortáveis. Visto que fundaram todo o edifício de sua felicidade sobre estas ilusões que a luz hostil do conhecimento deve dissipar, como poderiam comprar tão caro uma verdade, que começa tomando-lhes tudo o que para eles possui valor? Seria preciso que já fossem sábios para que amassem a sabedoria: uma verdade já sentida por aquele que deu nome à filosofia.[31]

Não é suficiente, pois, dizer que toda a ilustração do entendimento só merece respeito quando reflui sobre o caráter; ela parte também, em certo sentido, do caráter, pois o caminho para o intelecto precisa ser aberto pelo coração.[32] A formação da sensibilidade é, portanto, a necessidade mais premente da época, não apenas porque ela vem a ser um meio de tornar o conhecimento melhorado eficaz para a vida, mas também porque desperta para a própria melhora do conhecimento.

CARTA IX

Mas aqui não há talvez um círculo? Deve a cultura teórica propiciar a prática, e esta ser a condição daquela? Toda melhoria política deve partir do enobrecimento do caráter - mas como o caráter pode enobrecer-se sob a influência de uma constituição bárbara? Para esse fim seria preciso encontrar um instrumento que o Estado não fornece, e abrir fontes que se conservem limpas e puras apesar de toda a corrupção política.

Cheguei ao ponto a que se dirigiam todas as minhas considerações precedentes. Este instrumento são as belas-artes; estas fontes nascem em seus modelos imortais.

Arte e ciência são livres de tudo o que é positivo[33] e que foi introduzido pelas convenções dos homens; ambas gozam de uma absoluta *imunidade* em face do arbítrio humano. O legislador político pode interditar seu território, mas nunca nele imperar. Pode proscrever o amigo da verdade, mas esta subsiste; pode diminuir o artista, mas não falsificar a arte. Decerto, nada mais comum que o fato de ambas, ciência e arte, homenagearem o espírito da época, e de o gosto criador receber a lei do gosto judicante. Onde o caráter se torna tenso e enrijece, vemos a ciência guardar, severa, as suas fronteiras e a arte caminhar presa às pesadas correntes da regra; onde o caráter esmorece e se dissolve, a ciência se empenha em aprazer e a arte em contentar. Durante séculos inteiros veem-se os filósofos e os artistas ocupados em imergir a verdade e a beleza nas profundezas da humanidade vulgar; aqueles naufragaram, mas estas emergem vitoriosas por sua força vital indestrutível.

O artista é, decerto, o filho de sua época, mas ai dele se for também seu discípulo ou até seu favorito. Que uma divindade benfazeja arranque em tempo o recém-nascido ao seio materno e o amamente com o leite de uma época melhor, deixando-o que atinja a maturidade sob o céu distante da Grécia. Quando se tiver tornado homem volte, figura estrangeira, a seu século; não para alegrá-lo por sua aparição, mas terrível, como filho de Agamêmnon[34] para purificá-lo. Embora tome a matéria ao presente, ele extrairá a forma de tempos mais nobres ou mesmo da unidade absoluta e imutável de sua essência para além de todo tempo. É dali, do puro éter de sua natureza demoníaca, que jorra a fonte da beleza, intocada pela corrupção das gerações e dos tempos que, muito abaixo dali, agitam-se em redemoinhos turvos. O capricho pode degradar sua matéria assim como pôde enobrecê-la; a forma casta, porém, furta-se à sua alternância. O romano do primeiro século já de há muito havia dobrado os joelhos ante seus imperadores, quando as esculturas ainda permaneciam eretas; os templos continuavam sagrados ao olhar quando os deuses de há muito serviam à derrisão; as vilanias de um Nero e de Cômodo são humilhadas pelo nobre estilo do edifício que as abrigou. A humanidade perdeu sua dignidade, mas a arte a salvou e a conservou em pedras insignes; a verdade subsiste na ilusão, da cópia será refeita a imagem original. Do mesmo modo que *sobreviveu* à natureza nobre, a arte nobre também marcha à frente desta no entusiasmo, cultivando e estimulando. Mesmo antes de a verdade lançar sua luz vitoriosa nas profundezas dos corações, a força poética já apreende seus raios, e os cumes da humanidade brilharão, enquanto a noite úmida ainda pairar sobre os vales.

Mas como o artista se resguarda das corrupções de sua época, que o envolvem por todos os lados? Desprezando o seu juízo. Deve elevar os olhos para a sua dignidade e lei, não os baixar para a felicidade e a necessidade. Igualmente livre da atribulação vã, que quer imprimir sua marca no instante fugaz, e do fanatismo impaciente, que ao precário fruto do tempo aplica a medida do incondicionado, deve deixar ao entendimento a esfera que lhe é familiar, a da realidade; deve, entretanto, empenhar-se em engendrar o Ideal a partir da conjugação do possível e do necessário. Deve moldá-lo em ilusão e verdade, nos jogos de sua imaginação e na seriedade de suas ações; deve moldá-lo em todas as formas sensíveis e espirituais, e lançá-lo silenciosamente no tempo infinito.

Nem a todos, porém, que têm este Ideal ardendo na alma foi dada a quietude criadora, a grande paciência que permite imprimi-lo na pedra muda ou vertê-lo na palavra seca para confiá-lo às mãos fiéis do tempo. Demasiado tempestuoso para caminhar por esse meio calmo, o impulso criador divino atira-se muitas vezes imediatamente à realidade e à vida ativa, tentando figurar a matéria informe do mundo moral. A infelicidade da espécie toca profundamente o homem de sentimentos, porém mais ainda a sua degradação; o entusiasmo inflama-se e o desejo ardente empenha-se impacientemente em agir nas almas fortes. Mas terá ele indagado se essas desordens no mundo moral ofendem sua razão ou, antes, ferem seu amor-próprio? Se ainda não o souber, irá reconhecê-lo no ardor com que aspira a resultados certos e rápidos. O impulso puro é dirigido para o absoluto, para ele não existe tempo, o futuro torna-se presente tão logo tenha de decorrer necessariamente do presente. Para uma razão sem limites a direção é já a perfeição, e o caminho está percorrido, tão logo comece a ser trilhado.

Ao jovem amigo da verdade e da beleza, que quer saber como ele, apesar de toda resistência do século, pode satisfazer ao nobre impulso em seu peito, responderei: "Dá ao mundo em que ages a *direção* do bem, e o ritmo calmo do tempo trará a evolução. Tu lhe terás dado esta direção quando, ensinando, tiveres elevado seus pensamentos até o necessário e eterno; quando, agindo ou formando, tiveres transformado o necessário e eterno em objeto de seus impulsos. O edifício da ilusão e do arbítrio cairá, terá de cair, já terá caído, tão logo tiveres a certeza de que ele se inclina; é preciso, contudo, que se incline no homem interior e não apenas no exterior. No silêncio pudico de tua mente educa a verdade vitoriosa, exterioriza-a na beleza, para que não apenas o pensamento a homenageie, mas para que também os sentidos apreendam, amorosos, a sua aparição. E para que não te aconteça receber da realidade o modelo que deves oferecer-lhe, não te atrevas à sua duvidosa companhia antes de estares seguro de um cortejo ideal em teu coração. Vive com teu século, mas não sejas sua criatura; serve teus contemporâneos, mas naquilo de que carecem, não no que louvam. Sem partilhar de sua culpa, partilha de seu castigo com nobre resignação, e aceita com liberdade o jugo de que são incapazes de suportar tanto o peso quanto a falta. Pela coragem pertinaz com que desprezares sua felicidade irás provar-lhes que não é tua covardia que se submete ao seu sofrimento. Pensa-os como deveriam ser quando tens de influir sobre eles, mas pensa-os como são quando és tentado a agir por eles.

Procura seu aplauso através de sua dignidade, mas atribui sua felicidade à sua falta de valor, e tua própria nobreza despertará então a deles, ao passo que sua indignidade não aniquilará teus fins. A seriedade de teus princípios afastá-los-á de ti, mas no jogo eles ainda a suportarão; seu gosto é mais casto que seu coração, e aqui deves aprisionar o fugitivo amedrontado. Assaltarás em vão as suas máximas, amaldiçoarás em vão os seus atos, mas em seu ócio podes experimentar tua mão formadora. Escorraça de seus prazeres o arbítrio, a frivolidade, a brutalidade, e os terás escorraçado imperceptivelmente também de suas ações e, finalmente, banido de suas intenções. Onde quer que os encontrares, cerca-os de formas nobres, grandes e cheias de espírito, envolve-os com os símbolos da excelência até que a aparência supere a realidade e a arte, a natureza".

CARTA X

Pelo conteúdo de minhas cartas anteriores, estais portanto de acordo e convencido comigo de que o homem pode distanciar-se de sua destinação por duas vias opostas e que nossa época marcha sobre ambos os descaminhos, vítima aqui da rudeza, acolá do esmorecimento e da perversão. A beleza deverá recuperá-lo deste duplo desvio. Como, porém, poderá a bela cultura enfrentar a um tempo os dois males opostos — como unificar em si duas qualidades contraditórias? Poderá, no selvagem, acorrentar a natureza e libertá-la no bárbaro? Saberá estirar e distender a um tempo — e, não fosse realmente capaz dos dois, seria racional dela esperar um tão grande resultado como a formação da humanidade?

Com efeito, já se cansou de ouvir a afirmação de que o sentimento educado para a beleza refina os costumes, de modo que novas provas parecem desnecessárias. Apoia-se para tanto na experiência cotidiana, que mostra um gosto cultivado quase sempre ligado à clareza do entendimento, à vivacidade do sentimento, à liberalidade e mesmo dignidade na conduta, enquanto o gosto inculto se apresenta de ordinário ligado a atributos opostos. Com a maior firmeza, evocam-se o exemplo da mais ética de todas as nações da Antiguidade, na qual o sentimento da beleza alcançou também sua máxima evolução, e o exemplo oposto, o dos povos em parte selvagens, em parte bárbaros, que expiam sua insensibilidade em relação ao belo com um caráter rude ou austero. Ainda assim, boas cabeças por vezes lembram-se de negar o fato ou de questionar a justeza das conclusões tiradas. Não pensam tanto mal da selvageria de que se acusam os povos incultos, nem tanto bem do refinamento louvado nos cultos.[35] Já na Antiguidade existiam homens que nada viam de menos benéfico que a bela cultura, inclinados, por isso, a vedar às artes da imaginação o acesso à República.[36]

Não falo daqueles que desprezam as Graças por jamais lhes ter experimentado o favor. Se desconhecem medida de valor diversa do esforço para a aquisição e do ganho palpável, como deveriam ser capazes de dignificar o labor paciente do gosto junto ao homem externo e interno, e de não perder de vista, pelas desvantagens contingentes da bela cultura, suas vantagens essenciais? O homem sem forma menospreza toda graça no discurso como sendo suborno, toda finura no trato como sendo dissimulação, toda delicadeza e grandeza no comportamento como sendo exagero e afetação. Não pode perdoar o fato de que o favorito das Graças alegre todos os círculos como conviva, guie todas as mentes segundo seus desígnios como homem de negócio e imprima, como escritor, seu espírito em todo o seu século, ao passo que *ele*, vítima da ocupação, com todo o seu saber não granjeia nenhuma atenção, não move uma pedra do lugar. Como não pode aprender daquele o segredo genial de ser agradável, nada lhe resta senão lamentar a aberração da natureza humana, que prefere a aparência à essência.

Existem, porém, vozes dignas de atenção que se declaram contra os efeitos da beleza, armadas pela experiência de razões terríveis. "É inegável", dizem elas, "que os encantos da beleza, em boas mãos, podem servir a fins louváveis; não lhes contradiz a essência, entretanto, quando, em mãos danosas, fizerem justamente o inverso, utilizando sua fascinação sobre as almas em favor do erro e da injustiça. O gosto atenta apenas na forma e nunca no conteúdo, e por isso conduz a alma na perigosa direção de negligenciar a realidade em geral e sacrificar a verdade e a moralidade em favor de uma veste atraente. Perde-se toda a distinção objetiva entre as coisas, é apenas sua aparência que lhes determina o valor. Quantos homens de capacidade", prosseguem, "não são desviados, pelo poder sedutor da beleza, de uma atividade séria e laboriosa ou, ao menos, induzidos a tratá-la superficialmente! Quantos entendimentos fracos entraram em dissensão com a organização civil apenas porque à fantasia do poeta aprouve erigir um mundo em que tudo se passa por outro modo, onde nenhuma conveniência compromete as opiniões, nenhuma arte oprime a natureza. Que perigosa dialética não aprenderam as paixões desde que brilham com as cores mais cintilantes nos quadros dos poetas e desde que comumente vencem o combate contra as leis e deveres? Que ganhou a sociedade com o fato de que agora a beleza legisla o relacionamento, no qual antes reinava a verdade, e de que a impressão exterior decide sobre o respeito, que deveria prender-se apenas ao mérito? É verdade que assistimos agora à floração de todas as virtudes que produzem um efeito aprazível na aparência e conferem valor à sociedade, mas em compensação todos os excessos imperam, e entram em voga todos os vícios compatíveis com um belo disfarce." Com efeito, impõe-se necessariamente à reflexão o fato de que a humanidade se encontre decaída em quase todas as épocas da história em que florescem as artes e reina o gosto, e de que não se possa apresentar um único exemplo, num mesmo povo, em que um alto grau e uma grande generalização da cultura estética tenham caminhado de mãos dadas com liberdade política e virtude civil, e em que belos costumes e costumes bons tenham caminhado de mãos dadas com polidez e verdade do comportamento.

Enquanto Atenas e Esparta afirmavam sua independência, e o respeito à lei fundava sua constituição, o gosto era ainda imaturo, a arte estava ainda em sua infância, e muito faltava para que a beleza dominasse as mentes. Embora a poesia já tivesse dado um voo sublime, fê-lo apenas pelas asas do gênio, do qual sabemos ser vizinho da selvageria, e luz que ama brilhar no escuro, bem mais testemunho contra o gosto de seu tempo que a seu favor. Quando a idade áurea das artes surgiu, sob Péricles e Alexandre, e o domínio do gosto se generalizou, já não encontramos a força e a liberdade da Grécia; a eloquência falsificava a verdade, a sabedoria causava suscetibilidades na boca de um Sócrates, a virtude na vida de um Fócion. Os romanos, sabemos, tiveram de esgotar suas forças nas guerras civis e sua virilidade na luxúria oriental; tiveram de submeter-se ao jugo de um dinasta feliz antes que possamos ver a arte grega triunfar sobre a rigidez de seu caráter. Também aos árabes a aurora da cultura surgiu apenas quando esmorecia a energia de seu espírito guerreiro, sob o cetro dos abácidas. Na Itália moderna a bela arte apareceu apenas quando, após romper-se a magnífica liga dos lombardos, Florença fica submissa aos Médicis e o espírito de independência daquelas corajosas cidades cede o passo à infame rendição. É quase desnecessário lembrar ainda o exemplo das nações modernas, cujo refinamento crescia na mesma medida em que findava sua autonomia.[37] O nosso olhar, onde quer que perscrute o mundo passado, verá sempre que gosto e liberdade se evitam e que a beleza funda seu domínio somente no crepúsculo das virtudes heroicas.

No entanto, esta energia do caráter, com a qual se compra habitualmente a cultura estética, é justamente o móbil mais eficaz de toda a grandeza e excelência no homem, cuja falta nenhuma outra vantagem, por maior que seja, pode substituir. Se se detém, portanto, somente naquilo que as experiências ensinam sobre a *influência da beleza*, não se pode, com efeito, ter muito ânimo para formar sentimentos que são tão perigosos para a verdadeira cultura do homem; e será preferível abdicar da força suavizante das artes, mesmo sob o risco de rudeza e de austeridade, a vermo-nos entregues, com todas as virtudes do refinamento, aos seus efeitos esmorecedores. É possível, contudo, que a *experiência* não seja o tribunal frente ao qual se deva resolver esta questão, e antes de aceitarmos seu testemunho devemos decidir se é a mesma beleza a de que falamos e aquela contra a qual se dirigem os exemplos. Isso parece supor um conceito da beleza que tem outra fonte que a experiência, porque através dele deve ser conhecido se aquilo que se chama belo na experiência tem direito a esse nome.

Caso pudesse ser mostrado, esse *conceito racional puro da beleza* — já que não pode ser extraído de nenhum caso real, mas antes confirma e orienta nosso juízo em cada caso real — teria de poder ser procurado pela via da abstração e deduzido da possibilidade da natureza sensível-racional; numa palavra: a beleza teria de poder ser mostrada como uma condição necessária da humanidade. Temos de elevar-nos, portanto, ao conceito puro da humanidade e, como a experiência nos dá apenas estados isolados de homens isolados, mas nunca a humanidade, temos de descobrir, a partir de seus modos de manifestação individuais e mutáveis, o absoluto e permanente, e buscar, mediante a abstração de todas as limitações acidentais, as condições necessárias de sua existência, Essa via transcendental afastar-nos-á, decerto, por algum tempo do círculo familiar dos fenômenos e da presença viva dos objetos, detendo-nos no campo ermo dos conceitos abstratos; mas é que nos empenhamos por um fundamento sólido do conhecimento, ao qual nada mais deve abalar, e quem não se atrever para além da realidade nunca irá conquistar a verdade.

CARTA XI[38]

Quando sobe à maior altura de que é capaz, a abstração alcança dois conceitos últimos, nos quais para e é obrigada a reconhecer seus limites. Ela distingue no homem aquilo que permanece e aquilo que se modifica sem cessar. Ela chama o permanente de sua *pessoa*, o mutável de seu *estado*.[39]

Pessoa e estado — o si mesmo e suas determinações —, que no ser necessário pensamos como um e o mesmo, são eternamente dois no ser finito. Por mais que a pessoa perdure, alterna-se o estado, e em toda alternância do estado, perdura a pessoa. Passamos do repouso à atividade, do afeto à indiferença, da concordância à contradição, mas, ainda assim, nós somos, e o que se segue imediatamente de *nós*, permanece. Somente no sujeito absoluto todas as determinações perduram com a personalidade, porque provêm da personalidade. Tudo o que a divindade é, ela é *porque* é; consequentemente, ela é tudo eternamente, pois é eterna.

Por distinguirem-se no homem, enquanto ser finito, a pessoa e o estado, não se pode fundar o estado na pessoa nem a pessoa no estado. Fosse esse último o caso, a pessoa teria de modificar-se. Fosse o primeiro, o estado teria de perdurar; em qualquer um dos casos, portanto, a personalidade ou o estado cessariam. Nós somos não porque pensamos, queremos, sentimos; e pensamos, queremos ou sentimos não porque somos. Nós somos porque somos.[40] Nós sentimos, pensamos ou queremos porque além de nós existe algo diverso.

A pessoa, pois, tem de ser seu próprio fundamento, já que o permanente não pode provir da modificação; teríamos assim, inicialmente, a ideia do ser absoluto fundado em si mesmo, isto é, a liberdade. O estado tem de possuir um fundamento; tem de ser *causado*, já que não é por meio da pessoa, vale dizer, já que não é absoluto; teríamos assim, em segundo lugar, o *tempo*, a condição de todo o ser ou vir a ser dependente. O tempo é a condição de todo o vir a ser: esta é uma proposição idêntica, pois não diz mais que: a sequência é a condição de que algo se siga.

A pessoa, que se revela no eu que perdura eternamente, e só nele, não pode vir a ser, não pode começar no tempo, porque, inversamente, é nela que tem início o tempo, pois algo que perdure tem de repousar como fundamento da alternância. Algo tem de modificar-se para que haja modificação; este algo não pode, portanto, ser ele mesmo modificação. Ao dizermos que a flor desabrocha e murcha, fazemos dela o permanente nesta transformação e atribuímos-lhe uma pessoa na qual se manifestam aqueles dois estados. Não é objeção dizer que o homem vem a ser primeiro, pois ele não é meramente pessoa, mas pessoa que se encontra num estado determinado. Todo estado e toda existência determinada, porém, surgem no tempo, devendo o homem, enquanto fenômeno, ter um começo, embora nele a inteligência pura seja eterna. Sem o tempo, isto é, sem vir a ser, ele nunca seria um ser determinado; sua personalidade existiria enquanto disposição, mas não de fato. Somente pela sequencia de suas representações o eu que perdura torna-se fenômeno para si mesmo.

Portanto, o homem tem, primeiramente, de *receber* a matéria da atividade ou a realidade (que a inteligência suprema haure de si mesma), e ele a recebe, pela via da percepção, como algo existente fora dele, no espaço, ou como algo alternante nele, no tempo. Essa matéria que nele alterna é acompanhada por seu eu que nunca alterna — e permanecer sempre *ele mesmo* em toda alternância, isto é, fazer das percepções a experiência, a unidade do conhecimento, e de cada uma das espécies de fenômeno no tempo a lei de todos os tempos, esta é a prescrição que lhe é dada por sua natureza racional. Na medida somente em que se modifica, ele *existe*; na medida somente em que permanece imutável, *ele* existe. O homem, pois, representado em sua perfeição, seria a unidade duradoura que permanece eternamente a mesma nas marés da modificação.

Embora um ser infinito, uma divindade, não possa *vir a ser*, é preciso chamar divina uma tendência que tem como sua tarefa infinita a marca mais própria da divindade, a proclamação absoluta da potencialidade (realidade de todo o possível) e a unidade absoluta do fenômeno (necessidade de todo o real). O homem traz irresistivelmente em sua pessoa a disposição para a divindade. O caminho para a divindade, se podemos chamar assim o que nunca levará à meta, é-lhe assinalado nos *sentidos*.

Sua personalidade, considerada apenas em si mesma e independentemente de toda matéria sensível, é apenas disposição para uma possível exteriorização infinita; enquanto não intui e não sente, ele nada mais é do que forma e capacidade vazia. Sua sensibilidade, vista por si só, é isolada de toda espontaneidade do espírito, pode apenas torná-lo — que sem ela é pura forma — matéria, mas é incapaz de uni-lo a esta. Enquanto apenas sente e deseja, atuando somente por mero desejo, ele nada mais é que mundo, se por este nome entendemos o mero conteúdo informe do tempo. Conquanto apenas a sensibilidade faça de sua capacidade uma força real, é apenas sua personalidade que faz de sua atuação algo que lhe seja próprio. Para não ser apenas mundo, portanto, é preciso que ele dê forma à matéria; para não ser apenas forma é preciso que dê realidade à disposição que traz em si. Realiza a forma quando cria o tempo e contrapõe a modificação ao que perdura e a multiplicidade do mundo à eterna unidade de seu eu; forma a matéria, quando suprime de novo o tempo, quando afirma a alternância no que perdura e submete a multiplicidade do mundo à unidade de seu eu.

Daí nascem as duas tendências opostas no homem, as duas leis fundamentais da natureza sensível-racional. A primeira exige *realidade* absoluta; deve tornar mundo tudo o que é mera forma e trazer ao fenômeno todas as suas disposições. A segunda exige a *formalidade* absoluta: ele deve aniquilar em si mesmo tudo que é apenas mundo e introduzir coerência em todas as suas modificações; em outras palavras: deve exteriorizar todo o seu interior e formar todo o exterior. As duas tarefas, pensadas em sua realização máxima, reconduzem ao conceito de divindade de que parti.

CARTA XII

Somos instados ao cumprimento dessa dupla tarefa (dar realidade ao necessário *em nós* e submeter a realidade *fora de nós* à lei da necessidade) por duas forças opostas, que nos impulsionam para a realização de seus objetos e que poderíamos chamar convenientemente de impulsos.[41] O primeiro destes impulsos, que chamarei sensível, parte da existência física do homem ou de sua natureza sensível, ocupando-se em submetê-lo às limitações do tempo e em torná-lo matéria: não lhe dar matéria, pois disso já faria parte uma atividade livre da pessoa que a recebe e a distingue daquilo que perdura. Matéria não significa, aqui, senão modificação ou realidade, que preencha o tempo; este impulso exige, portanto, que haja modificação, que o tempo tenha um conteúdo. Este estado do tempo meramente preenchido chama-se sensação, e é somente através dele que se manifesta a existência física.[42]

Uma vez que tudo o que existe no tempo é *sucessivo*, pelo fato de que algo exista todo o resto está excluído. Quando produzimos um som, este será o único real entre todos os que o instrumento é possivelmente capaz de produzir; enquanto o homem experimenta o presente, toda a infinita possibilidade de suas determinações fica limitada a esta única espécie de existência. Onde, portanto, este instinto age de modo exclusivo, existe necessariamente a máxima limitação; o homem neste estado nada mais é que uma unidade quantitativa, um momento de tempo preenchido — ou melhor, *ele* não é, pois sua personalidade é suprimida enquanto é dominado pela sensibilidade e arrastado pelo tempo.*

---

* A linguagem possui uma expressão bastante adequada para esse estado de dispersão, sob o domínio da sensação: *estar fora de si*, isto é, estar fora de seu eu. Embora esse modo de dizer só ocorra quando a sensação se torna afeto e esse estado seja mais perceptível por sua maior duração, no entanto qualquer um está fora de si enquanto apenas sente. O regresso desse estado para o da consciência tem também um nome acertado: *entrar em si*, isto é, retomar a seu eu, reconstituir sua pessoa. De alguém que esteja desmaiado não se diz estar fora de si, mas: ele foi privado *de si*, isto é, de seu eu, já que apenas não está nele. Daí só voltar a si quem volta de um desmaio, o que pode muito bem coexistir com o estar fora de si.

O âmbito desse impulso estende-se até onde o homem é finito; e assim como toda forma só aparece numa matéria e todo absoluto apenas por intermédio dos limites, o impulso sensível é aquele ao qual se prende, por fim, toda a aparição da humanidade. Embora seja somente ele que desperta e desdobra as disposições da humanidade, é também ele que torna impossível sua perfeição. Com ligas indestrutíveis, acorrenta ao mundo sensível o espírito que se empenha pelo mais alto, e faz voltar aos limites do presente a abstração que marcha livremente para o infinito. O pensamento, entretanto, pode fugir-lhe por momentos, e uma vontade firme opõe-se, vitoriosa, às suas exigências; cedo, porém, a natureza subjugada retoma a seus direitos exigindo realidade para a existência, um conteúdo para nossos conhecimentos e um fim para nosso agir.

O segundo impulso, que pode ser chamado de *impulso formal*, parte da existência absoluta do homem ou de sua natureza racional, e está empenhado em pô-lo em liberdade, levar harmonia à multiplicidade dos fenômenos e afirmar sua pessoa em detrimento de toda alternância do estado. Por não poder a pessoa, enquanto unidade absoluta e indivisível, estar jamais em contradição consigo mesma, *por sermos nós mesmos em toda a eternidade*, o impulso que reclama a afirmação da personalidade jamais pode exigir algo diferente daquilo que tem de exigir por toda a eternidade; decide, portanto para sempre como decide para agora, e ordena agora o mesmo que ordena para sempre. Compreende, pois, toda a sequencia de tempo, vale dizer: suprime o tempo e a modificação; quer que o real seja necessário e eterno, e que o eterno e o necessário sejam reais; em outras palavras: exige verdade e justiça.

Enquanto o primeiro impulso constitui apenas *casos*, o segundo fornece *leis* — leis para todos os juízos no que se refere a conhecimentos, para todas as vontades no que se refere a ações. Suponha-se que conheçamos um objeto, que atribuamos validade objetiva a um estado de nosso sujeito, ou que ajamos a partir de conhecimentos e façamos do objetivo o fundamento de determinação de nosso estado — em ambos os casos arrancamos esse estado à jurisdição do tempo e damo-lhe realidade para todos os homens e todos os tempos, isto é, universalidade e necessidade.

O sentimento pode apenas dizer: isto é verdade para este sujeito e neste momento, um outro momento e outro sujeito podem vir a retirar o que a presente sensação afirma. Quando o pensamento, entretanto, afirma: *isto é*, ele decidiu para sempre e eternamente, e a validade de sua afirmação é corroborada pela própria personalidade que resiste a toda alternância. A inclinação pode apenas dizer: isto é bom para o *teu* indivíduo e para a tua *carência* atual, mas teu indivíduo e tua carência atual serão tragados pela modificação, e o que agora desejas com ardor será depois objeto de tua repugnância. Quando, por outro lado, o sentimento moral diz: *isto deve ser*, sua decisão é para sempre e eterna — quando confessas a verdade, e exerces a justiça porque é justiça, fizeste de um caso singular a lei de todos os casos, trataste como eternidade um momento de tua vida.

Portanto, onde o impulso formal domina e o objeto puro[43] age em nós, ali há a suprema ampliação do ser, as limitações desaparecem e o homem se eleva, de unidade quantitativa a que se vira limitado pelo sentido carente, a uma *unidade de Ideias*, que compreende sob si todo o reino dos fenômenos. Não mais estamos no tempo durante esta operação, mas é o tempo que está em nós com toda a sua série infinita. Já não somos indivíduos, mas espécie; o juízo de todos os espíritos é pronunciado através do nosso, a escolha de todos os corações é representada por nossa ação.

CARTA XIII

À primeira vista, nada nos parece mais oposto que as tendências destes dois impulsos, à medida que um exige modificação, enquanto o outro imutabilidade. Apesar disso, são esses dois impulsos que esgotam o conceito de humanidade, e um terceiro impulso *fundamental*, que pudesse intermediar os dois, é um conceito impensável.[44] Sendo assim, como reconstituiremos a unidade da natureza humana, que parece completamente suprimida por esta oposição originária e radical?

É verdade que suas tendências se contradizem, mas, é preciso notar, não *nos mesmos objetos*, e o que não se encontra não pode se chocar. O impulso sensível exige modificação, mas não que ela se estenda à pessoa e a seu âmbito, ou seja, que ela seja uma alternância dos princípios. O impulso formal reclama unidade e permanência — mas não quer que o estado se fixe juntamente com a pessoa, que haja identidade da sensação. Não são, portanto, opostos por natureza, e se aparentam sê-lo é porque assim se tornaram por uma livre transgressão da natureza ao se desentenderem e confundirem suas esferas.* Vigiar e assegurar

---

* Tão logo se aponte um antagonismo originário e, portanto, necessário entre os dois impulsos, não há certamente nenhum outro meio de assegurar a unidade no homem senão *subordinar* incondicionalmente o impulso sensível ao racional. Mas daí só pode surgir uniformidade, nunca harmonia, e o homem permanecerá eternamente cindido. Decerto a subordinação tem de existir, mas reciprocamente: pois conquanto os limites jamais possam fundar o absoluto, conquanto a liberdade jamais possa depender do tempo, é igualmente certo que o absoluto não pode, por si só, jamais fundar os limites, que o estado no tempo não pode depender da liberdade. Ambos os princípios são, a um só tempo, coordenados e subordinados um ao outro, isto é, estão em ação recíproca:[45] sem forma, não há matéria; sem matéria, não há forma. (Esse conceito de ação recíproca, e toda a importância do mesmo, encontra-se excelentemente exposto na *Fundação de Toda a Doutrina da Ciência*, de Fichte. Leipzig, 1794.) O que se passa com a pessoa no reino das Ideias evidentemente não sabemos; mas que ela, sem receber matéria, não possa manifestar-se no reino do tempo, sabemos com certeza; nesse reino, pois, a matéria terá de determinar algo não apenas *sob* a forma, mas também *ao lado* e independentemente da forma. Por necessário que seja não poder o sentimento decidir no âmbito da razão, é igualmente necessário que a razão não se arrogue decisões no âmbito do sentimento. Ao atribuirmos a cada qual um âmbito, excluiremos dele o outro, colocaremos limites cuja transgressão é sempre *danosa para ambos*.

Numa filosofia transcendental, em que é decisivo libertar a forma do conteúdo e manter o necessário puro de todo contingente, habituamo-nos facilmente a pensar

os limites de cada um dos dois impulsos é tarefa da *cultura*, que deve igual justiça aos dois e não busca afirmar apenas o impulso racional contra o sensível, mas também este contra aquele. Sua incumbência, portanto, é dupla: em primeiro lugar, resguardar a sensibilidade das intervenções da liberdade; em segundo lugar, defender a personalidade contra o poder da sensibilidade. A primeira ela realiza pelo cultivo da faculdade sensível; a outra, pelo cultivo da faculdade racional.

Por ser o mundo algo extenso no tempo, modificação, a perfeição daquela faculdade que põe o homem em vínculo com o mundo terá de ser a maior mutabilidade e extensão possíveis. Por ser a pessoa o perdurável na modificação, a perfeição daquela faculdade que deve opor-se à alternância terá de ser a maior autonomia e intensidade possíveis. Quanto mais facetada se cultiva a receptividade, quanto mais móvel é, quanto mais superfície oferece aos fenômenos, tanto mais mundo o homem capta, tanto mais disposições ele desenvolve em si; quanto mais força e profundeza ganha sua personalidade, quanto mais liberdade ganha sua razão, tanto mais mundo o homem *concebe*, tanto mais forma cria fora de si. Sua cultura consistirá, pois, no seguinte; primeiro: proporcionar à faculdade receptiva os mais multifacetados contatos com o mundo e levar ao máximo a passividade do sentimento; segundo: conquistar para a faculdade determinante a máxima independência com relação à receptiva e ativar ao extremo a atividade da razão. Quando as duas qualidades se unificam, o homem conjuga a máxima plenitude de existência à máxima independência e liberdade, abarcando o mundo em lugar de nele perder-se e submetendo a infinita multiplicidade dos fenômenos à unidade de sua razão.

Quando o homem *inverte* esta relação, pode enganar-se a respeito de sua destinação por dois modos. Pode transpor a intensidade requerida pela força ativa para a passiva, fazer com que o impulso material preceda o formal e tornar dominante a faculdade receptiva. Pode atribuir à força ativa a extensão, que cabe por direito à passiva, fazer com que o impulso formal preceda o

o material meramente como um empecilho e a sensibilidade numa contradição necessária com a razão, porque ela lhe obstrui o caminho justamente nessa operação. Um tal modo de representação não está de forma alguma no espírito do sistema kantiano, embora possa estar na *letra* do mesmo.[46]

material e substituir a faculdade receptiva pela determinante. No primeiro caso nunca será *ele mesmo*; no segundo, nunca *outra coisa*; nos dois casos, portanto, não será *nenhum dos dois* — será zero.*

* O efeito maléfico de uma sensibilidade predominante no pensamento e na ação é facilmente visível; menos evidente, embora igualmente comum e importante, é o dano causado pela racionalidade predominante no conhecimento e na maneira de agir. Seja-me permitido, pois, lembrar dois dos muitos exemplos aqui pertinentes, em que fique evidenciado o prejuízo causado à intuição e ao sentimento pela precipitação das forças do pensamento e da vontade.

Uma das causas principais da lentidão dos passos de nossa ciência natural é, manifestamente, a tendência geral e quase incoercível para os juízos teológicos,[47] os quais, quando usados constitutivamente, substituem a faculdade determinante à receptiva. Por insistente e vário que seja o contato da natureza com os nossos órgãos — toda a sua multiplicidade fica perdida para nós, porque procuramos na natureza apenas o que nela pusemos; porque não lhe permitimos marchar *em direção ao nosso interior*, já que com a razão impaciente e precipitada empenhamo-nos em *exteriorizar-nos em direção a ela*. Assim, quando em séculos aparece alguém que dela se aproxime com os sentidos castos, serenos e abertos, encontrando uma variedade de fenômenos para os quais a prevenção nos havia cegado, ficamos altamente surpresos de que tantos olhos em dia tão claro nada tenham visto. O empenho afoito pela harmonia antes de se reunir os sons individuais que a compõem, a usurpação violenta da força de pensamento num âmbito em que não é autoridade absoluta — eis a razão da esterilidade de tantas inteligências no que concerne o fomento da ciência, e é difícil dizer o que foi mais danoso à ampliação de nossos conhecimentos, se a sensibilidade sem forma ou a razão que não espera pelo conteúdo.

Igualmente difícil é determinar o que perturba e esfria mais nossa filantropia prática, se a veemência de nossos desejos ou a rigidez de nossos princípios, se o egoísmo de nossos sentidos ou o de nossa razão. Para que sejamos homens participantes, prestimosos e ativos, é necessário que o sentimento e caráter se conjuguem, assim como para a experiência é necessário que colaborem os sentidos abertos e a energia do entendimento. Por louváveis que sejam nossas máximas, como poderemos ser razoáveis, bondosos e humanos se falta a faculdade de aprender fiel e verdadeiramente a natureza do outro, se falta a força de nos apropriarmos de situações estranhas, de tomarmos nosso o sentimento alheio? Esta faculdade, porém, será sufocada tanto na educação que recebemos quanto naquela que nos damos na medida mesma em que procuramos quebrar o poder dos desejos e fortificar o caráter pelos princípios. Ante a dificuldade em manter-se fiel a seus princípios diante de toda a vivacidade do sentimento, apela-se para o meio mais cômodo de assegurar-se do caráter, isto é, mediante o embotamento dos sentimentos; pois é infinitamente mais fácil obter paz de um adversário sem armas do que dominar um inimigo corajoso e robusto. Nessa operação reside aquilo que, na maior parte das vezes, se chama *formar um homem*, e isso no melhor sentido da palavra, quando significa um cultivo do homem interno, e não apenas do homem externo. Um homem assim formado estará, evidentemente, protegido de tornar-se crua natureza ou de aparecer como tal; ao mesmo tempo, entretanto, estará armado de princípios contra toda sensação da natureza, impermeável *exterior* e *interiormente* a qualquer humanidade.

É muito prejudicial o abuso que se faz do Ideal da perfeição, quando tomado em toda a severidade para fundamentar juízos sobre outros homens ou nos casos em que se deve agir em favor deles. Um conduz ao fanatismo, o outro, à dureza. É claro que

Assim, se o impulso sensível é determinante, o sentido faz as vezes do legislador, e se o mundo subjuga a pessoa, ele deixa de ser objeto na mesma proporção em que se torna poder. Quando o homem é apenas conteúdo do tempo, *ele* não é e não *tem*, portanto, conteúdo. Com sua personalidade suprimi-se também seu estado, porque ambos são conceitos recíprocos — porque a modificação exige algo que perdure e a realidade limitada, uma infinita. Se o impulso formal se torna receptivo, isto é, se a força do pensamento se antecipa à sensibilidade e a pessoa substitui o mundo, ela deixa de ser força e sujeito autônomos na mesma proporção em que toma o lugar do objeto, pois aquilo que perdura exige modificação, e a realidade absoluta exige limites para sua manifestação. Se o homem *é* apenas forma, não *tem* nenhuma forma, e com o estado suprime-se também a pessoa. Numa palavra: a realidade somente pode ser-lhe exterior à medida que ele é autônomo, e somente nesta medida ele é receptivo; somente à medida que é receptivo a realidade está nele e ele é uma força pensante.

Os dois impulsos têm, portanto, limitação e, pensados como energias, necessitam de distensão; aquele, para não penetrar no âmbito da legislação, e este, para não penetrar no âmbito da sensibilidade. A distensão do impulso sensível não pode, entretanto, ser o efeito de uma incapacidade física e de um embotamento das sensações, o que merece desprezo em qualquer lugar; ela tem de ser uma ação da liberdade, uma atividade da pessoa, que modera a intensidade sensível por sua intensidade moral e, dominando as impressões, toma-lhes a profundidade para dar-lhes superfície. O caráter tem de determinar os limites ao temperamento, pois o *único* que o sentido pode perder é o *espírito*. Tampouco a distensão do impulso formal pode ser o efeito de uma incapacidade espiritual e de um esmorecimento das forças de pensamento e da vontade, o que rebaixaria a humanidade. A exuberância das sensações tem de ser sua fonte honrosa; a sensibilidade tem

---

muito facilitamos nossos deveres sociais quando substituímos o homem *real*, que pede nosso auxílio, pelo *ideal*, que provavelmente saberia auxiliar-se a si mesmo. O caráter verdadeiramente excelente é severo consigo mesmo e flexível para com os outros. Mais frequente, entretanto, é ser flexível consigo mesmo quem o é para os outros e ser severo com os outros quem o é consigo mesmo; flexível para consigo e severo para com os outros é o caráter mais desprezível.

de afirmar seu âmbito com força vitoriosa e resistir à violência que o espírito gostaria de fazer-lhe pela atividade antecipadora. Numa palavra: o impulso material tem de ser contido em limites convenientes pela personalidade, e o impulso formal deve sê-lo pela receptividade ou pela natureza.

CARTA XIV

Chegamos agora ao conceito de ação recíproca entre dois impulsos, em que a eficácia[48] de cada um ao mesmo tempo funda e limita a do outro; em que cada um encontra sua máxima manifestação justamente pelo fato de que o outro é ativo.

Esta relação de reciprocidade entre os dois impulsos é meramente uma tarefa da razão, que o homem só está em condições de solucionar plenamente na perfeição de sua existência. É a *Ideia de sua humanidade*, no sentido mais próprio da palavra, um infinito, portanto, do qual pode aproximar-se mais e mais no curso do tempo sem jamais alcançá-lo.[49] "Ele não deve empenhar-se pela forma à custa de sua realidade, nem pela realidade à custa da forma; deve, antes, procurar o ser absoluto pelo determinado e o determinado pelo absoluto. Deve contrapor-se um mundo por ser pessoa, e ser pessoa por se lhe contrapor um mundo. Deve sentir por ser consciente e ser consciente por sentir." O homem não pode experimentar a sua concordância com esta Ideia, com sua humanidade no sentido mais pleno; enquanto satisfaz exclusivamente um destes impulsos ou os dois sucessivamente: pois, enquanto apenas sente, fica-lhe oculta a sua pessoa, ou sua existência absoluta, e, enquanto apenas pensa, fica-lhe oculta a sua existência no tempo, ou seu estado. Existissem casos em que ele fizesse *simultaneamente* esta dupla experiência, em que fosse consciente de sua liberdade e sentisse a sua existência, em que se percebesse como matéria e se conhecesse como espírito, nestes casos, e só nestes, ele teria uma intuição plena de sua humanidade, e o objeto que lhe proporcionasse essa intuição viria a ser um símbolo da sua *destinação realizada* (visto que esta é apenas alcançável na totalidade do tempo) e, assim, uma exposição do infinito.

Pressupondo-se que casos dessa espécie possam ocorrer na experiência, despertariam no homem um novo impulso, que, exatamente porque os outros dois atuam conjuntamente nele, seria oposto a cada um deles tomado isoladamente, e considerado com razão como um novo impulso.[50] O impulso sensível quer que haja modificação, que o tempo tenha conteúdo; o impulso formal quer que o tempo seja suprimido, que não haja modificação. O impulso em que os dois atuam juntos (seja-me permitido chamá--lo *impulso lúdico* até que justifique a denominação), este impulso lúdico seria direcionado, portanto, a suprimir o tempo no *tempo*, a ligar o devir ao ser absoluto, a modificação à identidade.

O impulso sensível quer ser determinado, quer receber o seu objeto; o impulso formal quer determinar, quer engendrar o seu objeto; o impulso lúdico, então, empenha-se em receber assim como teria engendrado e engendrar assim como o sentido almeja por receber.

O impulso sensível exclui de seu sujeito toda espontaneidade e liberdade; o impulso formal exclui do seu toda dependência e passividade. A exclusão da liberdade é necessidade física, a da passividade é necessidade moral. Os dois impulsos impõem necessidade à mente: aquele por leis da natureza, este por leis da razão. O impulso lúdico, entretanto, em que os dois atuam juntos, imporá necessidade ao espírito física e moralmente a um só tempo; pela supressão de toda contingência ele suprimirá, portanto, toda necessidade, libertando o homem tanto moral quanto fisicamente. Quando cercamos de paixão quem mereça nosso desprezo, sentimos penosamente o *constrangimento da natureza*. Quando temos intenções hostis a quem mereça nosso respeito, experimentamos penosamente o *constrangimento da razão*. Tão logo, entretanto, ele interessa nossa inclinação e conquista o nosso respeito, desaparecem tanto a coerção do sentimento quanto a da razão e começamos a amá-lo, isto é, jogamos a um tempo com nossa inclinação e com o nosso respeito.

O impulso sensível torna contingente a nossa índole formal, e o impulso formal torna contingente nossa índole material, à medida que aquele nos constrange fisicamente, e este, moralmente; ou seja, é contingente se nossa felicidade concorda com nossa perfeição, ou esta com aquela. O impulso lúdico, portanto, no qual ambas atuam juntas, tornará contingentes tanto nossa índole formal quanto a material, tanto nossa perfeição quanto nossa felicidade; justamente porque torna *ambas* contingentes, e porque a contingência também desaparece com a necessidade, ele suprime a contingência nas duas, levando forma à matéria, e realidade à forma. Na mesma medida em que toma às sensações e aos afetos a influência dinâmica, ele os harmoniza com as ideias da razão, e na medida em que despe as leis da razão de seu constrangimento moral, ele as compatibiliza com o interesse dos sentidos.

CARTA XV

Aproximo-me cada vez mais da meta a que vos conduzo por uma trilha pouco animadora. Permiti que eu siga por mais alguns passos, a fim de que a vista de um horizonte mais livre possa, talvez, compensar as penas da caminhada.

O objeto do impulso sensível, expresso num conceito geral, chama-se *vida* em seu significado mais amplo; um conceito que significa todo o ser material e toda a presença imediata nos sentidos. O objeto do impulso formal, expresso num conceito geral, é *e forma,* tanto em significado próprio como figurado; um conceito que compreende todas as disposições formais dos objetos e todas as suas relações com as faculdades de pensamento. O objeto do impulso lúdico, representado num esquema geral, poderá ser chamado de *forma viva,*[51] um conceito que serve para designar todas as qualidades estéticas dos fenômenos, tudo o que em resumo entendemos no sentido mais amplo por *beleza.*

Mediante essa definição, se é que chega a ser uma, a beleza não é nem estendida a todo o âmbito do que é vivo nem se encerra nele. Um bloco de mármore, embora seja e permaneça inerte, pode mesmo assim tornar-se forma viva pelo arquiteto e escultor; um homem, conquanto viva e tenha forma, nem por isso é uma forma viva. Para isso seria necessário que sua forma fosse viva e sua vida, forma. Enquanto apenas meditamos sobre sua forma, ela é inerte, mera abstração; enquanto apenas sentimos sua vida, esta é informe, mera impressão. Somente quando sua forma vive em nossa sensibilidade e sua vida se forma em nosso entendimento o homem é forma viva, e este será sempre o caso quando o julgamos belo.

Embora saibamos apontar as partes de cuja unificação nasce a beleza, a gênese desta ainda não está explicada; pois para isso exigir-se-ia compreender *a própria unificação,* a qual permanece imperscrutável para nós como toda ação recíproca entre o finito e o infinito. A razão, por motivos transcendentais, faz a exigência: deve haver uma comunidade entre impulso formal e material, isto é, deve haver um impulso lúdico, pois que apenas a unidade de realidade e forma, de contingência e necessidade, de passividade e liberdade, completa o conceito de humanidade. Ela tem de fazer esta exigência porque é razão; porque, segundo sua essência, requer perfeição e afastamento de todos os limites, ao passo que a atividade exclusiva de um ou outro impulso deixa imperfeita a natureza humana, nela fundando uma limitação. Logo, pois, que pronuncia: deve haver uma humanidade, ela estabelece, por este ato mesmo, a lei: deve haver uma beleza.[52] A experiência pode responder-nos se existe uma beleza, e o saberemos, tão logo ela nos ensine se existe uma humanidade. *Como*, entretanto, a beleza pode existir e como uma humanidade é possível, isso nem razão nem experiência pode ensinar-nos.

O homem, sabemos, não é exclusivamente matéria nem exclusivamente espírito. A beleza, portanto, enquanto consumação de sua humanidade, não pode ser exclusiva e meramente vida, como quiseram observadores argutos que se ativeram excessivamente ao testemunho da experiência e para onde também gostaria de rebaixá-la o gosto de época; nem pode ser mera forma, como julgaram sábios especulativos, demasiado distantes da experiência, e artistas filosofantes, que se deixaram conduzir em excesso pelas necessidades da arte para explicá-la;* ela é objeto comum de ambos os impulsos, ou seja, do impulso lúdico. Este nome é plenamente justificado pela linguagem corrente, que costuma chamar jogo tudo aquilo que, não sendo subjetiva nem objetivamente contingente, ainda assim não constrange nem interior nem exteriormente. Se o espírito encontra, ao intuir o belo, um feliz meio-termo entre a lei e a necessidade, é justamente porque se divide entre os dois, furtando-se à coerção de um e de outro. As reivindicações do impulso material como as do impulso formal são *sérias*, pois que, no conhecimento, um se refere à realidade das coisas e o outro à sua necessidade; pois que, na ação, o primeiro visa à manutenção da vida e o segundo à preservação da

---

* Burke, em suas *Investigações Filosóficas sobre a Origem de Nossos Conceitos do Sublime e do Belo*,[53] faz da beleza mera vida. Fazem dela mera forma, até onde conheço, todos os adeptos do sistema *dogmático* que já se tenham manifestado sobre este assunto: entre os artistas, para citar alguns, lembro apenas Raphael Mengs,[54] em suas reflexões sobre o gosto na pintura. Como em todo o mais, também aqui a filosofia *crítica* abriu caminho para levar a empiria a princípios e a especulação à experiência.

dignidade, visando os dois, portanto, à verdade e à perfeição. A vida, porém, torna-se menos importante quando a dignidade interfere, e o dever não mais constrange quando a inclinação atrai; também a mente aceita com mais liberdade e calma a realidade das coisas. a verdade material, tão logo esta encontre a verdade formal, a lei da necessidade, e já não se sente tensa com a abstração, tão logo a intuição imediata possa acompanhá-la. Numa palavra: quando entra em comunidade com as Ideias, o real perde a sua seriedade por tornar-se *pequeno*, assim como o necessário perde a sua por tornar-se *leve* ao encontrar a sensibilidade.

Contudo, vós poderíeis de há muito estar tentado a objetar-me, não é o belo depreciado pelo fato de que se faz dele um mero jogo, e de que é comparado aos objetos frívolos que desde sempre detiveram este nome? Limitá-la a um *mero jogo* não contradiz o conceito racional e a dignidade da beleza considerada como um instrumento da cultura? E limitar o jogo à beleza, não contradiz o conceito empírico do mesmo, o qual pode subsistir ainda que se exclua todo o gosto?

O que significa, entretanto, dizer *mero* jogo, quando sabemos que, de todos os estados do homem, é o jogo e *somente* ele que o torna completo e desdobra de uma só vez sua natureza dupla? O que chamais *limitação* de acordo com vossa maneira de representar o problema, segundo a minha, que justifiquei com provas, chamo *ampliação*. Eu diria, pois, o inverso: com o agradável, com o bem, com a perfeição, o homem é *apenas* sério; com a beleza, no entanto, ele joga. Não devemos, é claro, lembrar aqui os jogos da vida real, geralmente voltados para objetos muito materiais; na vida real, contudo, também procuraríamos em vão a beleza de que falamos aqui. A beleza realmente existente é digna do impulso lúdico real; pelo Ideal de beleza, todavia, que a razão estabelece, é dado também como tarefa um Ideal de impulso lúdico que o homem deve ter presente em todos os seus jogos.

Não errará jamais quem buscar o Ideal de beleza de um homem pela mesma via em que ele satisfaz seu impulso lúdico. Se em seus jogos de Olímpia os povos gregos rejubilam com competições de força, velocidade e flexibilidade sem derramamento de sangue, e com a disputa mais nobre dos talentos, e se o povo romano se deleita com a agonia de um gladiador batido ou de seu adversário líbio,[55] a partir deste único traço é compreensível para nós por que temos de buscar as figuras ideais de uma Vênus, uma Juno, um Apolo não em Roma, mas na Grécia.* A razão, entretanto, diz: o belo não deve ser mera vida ou mera forma, mas forma viva, isto é, deve ser beleza à medida que dita ao homem a dupla lei da formalidade e realidade absolutas. Com isso, ela afirma também: o homem deve somente *jogar* com a beleza, e somente *com a beleza* deve jogar.

Pois, para dizer tudo de vez, o homem joga somente quando é homem no pleno sentido da palavra, e *somente é homem pleno quando joga*.[56] Esta afirmação, que há de parecer paradoxal neste momento, irá ganhar um grande e profundo significado quando chegarmos a relacioná-la à dupla seriedade do dever e do destino; suportará, prometo-vos, o edifício inteiro da arte estética e da bem mais dificultosa arte de viver. Esta afirmação, contudo, é inesperada somente na ciência; já de há muito vivia e atuava na arte e no sentimento dos gregos, os seus maiores mestres; só que estes transpunham para o Olimpo o que deveria ser realizado na terra. Guiados pela verdade desta afirmação, fizeram desaparecer da fronte dos deuses ditosos tanto a seriedade e o trabalho, que marcam o semblante dos mortais, quanto o prazer iníquo, que lhes alisa a face vazia; libertaram os perenemente satisfeitos das correntes de toda finalidade, dever ou preocupação, fazendo do *ócio* e da *indiferença* o invejável destino do estamento divino: um nome apenas mais humano para a existência mais livre e mais sublime. Tanto a coerção material das leis naturais quanto a coerção espiritual das leis morais perdiam-se em seu conceito mais alto da necessidade, que abraçava os dois mundos a um só tempo, e da unidade daquelas duas necessidades surgia para eles a verdadeira liberdade. Animados por esse espírito, fizeram desaparecer da face de seu Ideal, juntamente com a *inclinação*, todos os vestígios da *vontade*, ou melhor, tornaram ambos irreconhecíveis, pois que souberam ligá-los na união mais íntima.

---

* Quando se comparam (para ficar no mundo moderno) as corridas em Londres, as touradas em Madri, os espetáculos na Paris de outrora, as corridas de gôndola em Veneza, as caçadas em Viena e a bela vida alegre no Corso de Roma, não pode ser difícil estabelecer as nuanças entre o gosto desses povos modernos. Entre os jogos populares desses diversos países, porém, a uniformidade é muito menor que a reinante no mundo mais fino, o que é fácil de explicar.

Não é graça nem dignidade o que nos sugere a soberba face de uma Juno Ludovisi;[57] nenhum dos dois por ser os dois ao mesmo tempo. Conquanto a divindade feminina exija nossa adoração, a mulher divina inflama nosso amor; mas enquanto nos rendemos à candura celestial, sua autossuficiência celestial nos faz recuar. Toda a figura repousa e habita em si mesma, criação inteiramente fechada que não cede nem resiste, como se estivesse para além do espaço; ali não há força que lute contra forças, nem ponto fraco em que pudesse irromper a temporalidade. Irresistivelmente seduzidos por um, mantidos à distância por outro, encontramo-nos simultaneamente no estado de repouso e movimento máximos, surgindo aquela maravilhosa comoção para a qual o entendimento não tem conceito e a linguagem não tem nome.

CARTA XVI

Da ação recíproca de dois impulsos antagônicos e da combinação de dois princípios opostos vimos nascer o belo, cujo Ideal mais elevado deve ser procurado, pois, na ligação e no *equilíbrio* mais perfeito de realidade e forma. Este equilíbrio, contudo, permanece sempre apenas uma Ideia, que jamais pode ser plenamente alcançada pela realidade. Nesta restará sempre o predomínio de *um* elemento sobre o outro, e o mais alto que a experiência pode atingir é uma variação entre os dois princípios, em que ora domine a forma ora a realidade. A beleza na Ideia, portanto, é eternamente una e indivisível, pois pode existir somente um único equilíbrio; a beleza na experiência, contudo, será eternamente dupla, pois na *variação* o equilíbrio poderá ser transgredido por uma dupla maneira, para aquém e para além.

Observei numa carta anterior, mas também se pode deduzir com rigorosa necessidade do que foi apresentado até aqui, que se pode esperar do belo um efeito dissolvente e outro de tensão: um *dissolvente* para manter em seus limites tanto o impulso sensível quanto o formal; um *tensionante*, para assegurar aos dois a sua força. Essas espécies de efeito da beleza, contudo, devem ser uma só segundo a Ideia. Ela deve dissolver quando faz igualmente tensas as duas naturezas, e deve dar tensão quando as dissolve por igual. Isso resulta desde logo do conceito de uma ação recíproca em que as duas partes se condicionam mutuamente com necessidade, ao mesmo tempo que são mutuamente condicionadas, e cujo produto mais puro é a beleza. Más a experiência não nos mostra nenhum exemplo de uma ação recíproca tão perfeita, pois nela o excesso sempre funda uma privação, e a privação, um excesso em maior ou menor medida. O que no belo ideal é distinguido apenas na representação, no belo da experiência é diferente segundo a existência. O belo ideal, embora indivisível e simples, em contextos diversos apresenta tanto uma propriedade suavizante quanto uma enérgica; na experiência existe uma beleza suavizante e outra enérgica. Isso é e será assim sempre que o absoluto seja posto nos limites do tempo e as Ideias da razão devam ser realizadas na humanidade. O homem reflexivo pensa a virtude, a verdade, a felicidade; o homem ativo, entretanto, apenas exercerá *virtudes*, apenas apreenderá *verdades*, apenas gozará de dias *felizes*. Reduzir estas àquelas — substituir os costumes pela eticidade, os conhecimentos pelo conhecimento, o bem-estar pela felicidade —, esta é a incumbência da cultura física e moral; a tarefa da educação estética é fazer das belezas a beleza.

A beleza enérgica não pode guardar o homem de certos resíduos de selvageria e dureza, assim como a beleza suavizante não o protege de um certo grau de lassidão e esmorecimento. Pois, visto que o efeito da primeira é fortalecer a mente, tanto no plano físico quanto no moral, e aumentar-lhe a rapidez, ocorre muito facilmente que a resistência do temperamento e do caráter diminua a receptividade às impressões, que a humanidade mais delicada experimente também uma opressão que deveria atingir apenas a natureza bruta, e que a natureza bruta participe de um fortalecimento que só deveria valer para a pessoa livre; por isso, nas épocas de força e exuberância vê-se a grandeza verdadeira da representação andar de par com o gigantesco e aventuroso, e o sublime da intenção com as mais horrendas irrupções da paixão; por isso, nas épocas de regra e forma, ver-se-á a natureza tanto oprimida quanto dominada, tanto ofendida quanto superada. E porque o efeito da beleza suavizante é dissolver a mente, tanto no plano físico quanto no moral, é igualmente fácil ocorrer que a energia dos sentimentos seja sufocada junto com a violência dos desejos e que o caráter participe de um enfraquecimento que só deveria atingir a paixão; por isso, nas chamadas épocas refinadas, ver-se-á não raro a brandura degenerar em lassidão, a amplitude em superficialidade, a correção em vacuidade, a liberalidade em arbítrio, a desenvoltura em frivolidade, a calma em apatia, e a caricatura mais desprezível chegar próxima dos limites da humanidade mais esplêndida. Para o homem sob a coerção da matéria ou das formas, portanto, a beleza suavizante é uma necessidade, pois foi comovido pela grandeza e força muito antes de tornar-se sensível à harmonia e à graça. Para o homem sob a indulgência do gosto, a beleza enérgica é uma necessidade, pois no estado do refinamento despreza com o maior bom grado uma força que trouxe do estado da selvageria.

A partir de agora, creio, será explicada e respondida aquela contradição que se costuma encontrar nos juízos do homem sobre a influência do belo e na avaliação da cultura estética. A contradição fica explicada quando se lembra que na experiência é dada uma dupla beleza, e que as duas partes afirmam do gênero inteiro aquilo que cada qual somente é capaz de provar de uma espécie determinada. A contradição é suprimida logo que se distingue a dupla carência humana a que corresponde aquela dupla beleza. As duas partes, portanto, estarão provavelmente corretas logo que tenham explicitado a espécie de beleza e a forma de humanidade a que se referem.

Por isso, na sequencia de minhas investigações farei meu o caminho que a natureza toma com o homem do ponto de vista estético, elevando-me das espécies da beleza a seu conceito genérico. Examinarei os efeitos da beleza suavizante no homem tenso e os efeitos da beleza enérgica no homem distendido,[58] para, ao fim, apagar as duas espécies de beleza na unidade do belo ideal, à semelhança do que ocorre na unidade do homem ideal, em que as duas formas opostas de humanidade desaparecem.

CARTA XVII

Enquanto se tratou apenas de deduzir a Ideia universal da beleza a partir do conceito da natureza humana em geral, não nos era permitido lembrar outros limites da mesma além dos imediatamente fundados em sua essência e inseparáveis do conceito de finitude. Sem dar atenção às limitações acidentais que a natureza humana possa sofrer no fenômeno real, haurimos seu conceito imediatamente da razão, como da fonte de toda necessidade, e com o Ideal da humanidade estava dado, ao mesmo tempo, o Ideal da beleza.

Agora, entretanto, descemos da região das Ideias para o palco da realidade, e encontramos o homem num estado *determinado*, sob limitações que não se originam de seu conceito puro, mas decorrem de condições exteriores e de um uso contingente de sua liberdade. Quaisquer que sejam os modos de a Ideia da humanidade ser nele limitada, o puro conteúdo da mesma ensina-nos que, ao todo, podem existir apenas *dois* desvios opostos. Se sua perfeição repousa na energia harmonizante de suas forças sensíveis e espirituais, ela só pode ser perdida por ausência de harmonia ou de energia. Antes, portanto, de tomarmos o testemunho da experiência, somos assegurados de antemão pela mera razão de que encontraremos o homem real, e por isso mesmo limitado, ou num estado de tensão ou num estado de distensão, conforme seja a atividade unilateral de forças isoladas que perturbe a harmonia de seu ser, ou a unidade de sua natureza que se funde na lassidão uniforme de suas forças sensíveis e espirituais. Essas duas limitações opostas são suprimidas, como será demonstrado agora, pela beleza, que refaz no homem tenso a harmonia e a energia no homem distendido, e assim reconduz, segundo sua natureza, o estado limitado ao absoluto, tornando o homem um todo perfeito em si mesmo.

De modo algum ela nega na realidade o conceito que dela fizemos na especulação; somente sua liberdade é bem menor do que lá onde podemos aplicá-la ao conceito puro da humanidade. O homem, como a experiência o apresenta, é para ela um material já corrompido e refratário, que lhe tira tanta perfeição *ideal* quanto acrescenta de sua constituição *individual*. Na realidade, portanto, ela pode apenas mostrar-se como espécie particular e limitada, nunca como gênero puro; nas mentes tensas ela perderá algo de sua liberdade e multiplicidade, nas distendidas algo de sua força vivificante; nós, entretanto, que agora lhe conhecemos o verdadeiro caráter, não seremos enganados pela sua aparência contraditória. Longe de estabelecer seu conceito a partir de experiências isoladas, como o faz a massa dos que julgam, e de responsabilizá-*la* pelos defeitos que sob sua influência o homem apresenta, nós sabemos que é o homem que transfere para ela as imperfeições de seu indivíduo; é ele quem, por sua limitação subjetiva, lhe obstrui ininterruptamente o caminho da perfeição e reduz seu Ideal absoluto a duas formas limitadas de manifestação.

A beleza suavizante, afirmou-se, está para uma mente tensa assim como a enérgica para uma mente distendida. Tenso, contudo, chamo o homem que está tanto sob a coerção das sensações quanto sob a coerção dos conceitos. Qualquer dominação *exclusiva* de um de seus dois impulsos fundamentais é para ele um estado de coerção e violência; a liberdade está somente na atuação conjunta de suas duas naturezas. O homem dominado unilateralmente por sentimentos ou sensivelmente tenso é dissolvido e posto em liberdade pela forma; o homem dominado unilateralmente por leis e espiritualmente tenso é dissolvido e posto em liberdade pela matéria. A beleza suavizante, para satisfazer a essa dupla tarefa, mostrar-se-á sob dois aspectos. *Em primeiro lugar*, como forma calma, ela amenizará a vida selvagem e abrirá o caminho das sensações para o pensamento; em segundo *lugar*, como imagem viva, ela armará de força sensível a forma abstrata, reconduzirá o conceito à intuição e a lei ao sentimento. O primeiro serviço ela presta ao homem natural, o segundo ao artificial. Todavia, por não legislar inteiramente sobre o seu material, mas depender do que lhe oferecem a natureza informe e o artifício antinatural, em ambos os casos ela terá marcas de sua origem, perdendo-se ora mais na vida material, ora mais na forma abstrata.

Para podermos conceber a beleza como um meio de suprimir essa dupla tensão, temos de tentar buscar sua origem na mente humana. Preparai-vos, então, para mais uma curta estada no âmbito da especulação, antes de deixá-lo de vez e prosseguir, com passo cada vez mais seguro, no campo da experiência.

CARTA XVIII

Pela beleza, o homem sensível é conduzido à forma e ao pensamento; pela beleza, o homem espiritual é reconduzido à matéria e entregue de volta ao mundo sensível.

Disso parece seguir que, entre matéria e forma, entre passividade e ação, deve existir um *estado intermediário*, ao qual a beleza nos transportaria. Este é o conceito que a maior parte dos homens realmente forma, tão logo tenha começado a refletir sobre os efeitos da beleza, e toda experiência remete para ele. De outro lado, porém, nada é mais desencontrado e contraditório do que um tal conceito, já que é *infinita* a distância entre matéria e forma, passividade e ação, sensação e pensamento, e que não podem ser intermediados por absolutamente nada. Como suprimir, então, esta contradição? A beleza liga os estados opostos de sensação e pensamento, e ainda assim não há meio-termo entre os dois. A certeza daquilo é dada pela experiência; a disto, imediatamente pela razão.

Este é o verdadeiro ponto a que leva toda indagação sobre a beleza; se chegarmos a uma solução satisfatória deste problema, teremos encontrado o fio que nos conduz por todo o labirinto da estética.[59]

Mas para tanto importam duas operações extremamente diversas que têm de apoiar-se mutuamente nesta investigação. A beleza, ficou dito, liga dois estados que são opostos *um ao outro* e nunca podem unir-se. É dessa oposição que temos de partir; temos de concebê-la e reconhecê-la em toda a sua pureza e rigor, de modo que os dois estados se distingam com a máxima determinação; se não misturamos, mas não ligamos. Em segundo lugar, ficou dito que a beleza *vincula* aqueles dois estados e suprime, portanto, sua oposição. Mas porque os dois estados permanecem eternamente opostos um ao outro, não podem ser ligados senão à medida que são suprimidos. Nossa segunda incumbência, portanto, é tornar essa ligação tão perfeita, é executá-la de maneira tão pura e completa, que os dois estados desapareçam por completo num terceiro e não reste nenhum vestígio da divisão no todo;

se não isolamos, mas não ligamos. Todas as disputas referentes ao conceito da beleza que tenham dominado o mundo filosófico e que, em parte, ainda o dominam não têm outra origem senão no fato de que ou se iniciou a investigação sem uma distinção adequada e rigorosa ou ela não culminou numa ligação de todo pura. Aqueles filósofos que se entregam cegamente à direção do *sentimento* na reflexão sobre este objeto não podem alcançar nenhum *conceito* da beleza, pois que não distinguem absolutamente nada no conjunto da impressão sensível. Os outros, que tomam o entendimento como guia exclusivo, jamais podem alcançar um conceito da *beleza*, pois no todo nada veem além das partes, e espírito e matéria aparecem-lhes eternamente separados, mesmo em sua unidade mais perfeita. Os primeiros temem suprimir a beleza *dinamicamente*, isto é, como força ativa, quando devem separar o que está ligado no sentimento; os outros temem suprimi-la *logicamente*, isto é, como conceito, quando devem unificar o que está separado no entendimento. Aqueles querem pensar a beleza como ela atua, estes querem deixá-la atuar tal como é pensada; os dois, portanto, têm de faltar à verdade: aqueles porque imitam com seu pensamento limitado a natureza infinita; estes porque querem limitar a natureza infinita às leis de seu pensamento. Os primeiros temem roubar a liberdade da beleza através da dissecção severa, os outros temem destruir a determinação do seu conceito através de uma ligação muito ousada. Aqueles esquecem, contudo, que a liberdade em que muito justamente põem a essência da beleza não é ausência de leis, mas sua harmonia, não é arbítrio, mas máxima necessidade exterior; estes esquecem que a determinação, que muito justamente exigem da beleza, não consiste na *exclusão de certas realidades*, mas na *inclusão* absoluta de todas, não é limitação, mas infinitude. Evitaremos os dois escolhos em que ambos naufragaram,[60] se começarmos pelos dois elementos em que a beleza se divide diante do entendimento, e depois elevarmo-nos à pura unidade estética mediante a qual ela atua sobre a sensibilidade e na qual esses dois estados desaparecem inteiramente.*

---

* Na comparação feita aqui, o leitor atento terá observado que os estetas sensualistas, ao deixarem valer mais o testemunho da sensação que o da razão, se afastam muito menos da verdade de *fato* que seus opositores, muito embora não se lhes possa comparar quanto à *penetração*; e em toda parte se encontra essa relação entre natureza e ciência. A natureza (o sentido) unifica sempre, o entendimento separa sempre; a razão, contudo, reunifica; por isso, antes de começar a filosofar, o homem está mais próximo da verdade que o filósofo que ainda não terminou sua investigação. Assim, pode-se sem maior exame declarar errado um filosofema, tão logo tenha, *no resultado*, a sensibilidade comum contra si; com o mesmo direito, contudo, pode-se achá-lo suspeito quando, segundo a forma e o método, tem a sensibilidade comum a seu lado. Que isto sirva de consolo aos escritores que não sabem expor uma dedução filosófica à maneira de entretenimento junto à lareira, como parecem desejá-lo alguns leitores. E que aquilo sirva para calar todo aquele que deseje fundar novos sistemas à custa do entendimento humano.

CARTA XIX

É possível distinguir no homem, em geral, dois estados diversos de determinabilidade passiva e ativa, e outros dois estados de determinação passiva e ativa. A explicação desta proposição é o caminho mais breve para o nosso alvo.

O estado do espírito humano antes de qualquer determinação pela impressão dos sentidos é uma determinabilidade sem limites. A infinitude de espaço e tempo é dada ao livre uso de sua imaginação e como, segundo a suposição inicial, neste amplo reino do possível nada há de posto nem de excluído, este estado de ausência de determinações pode ser chamado *infinitude vazia*, o que não deve ser confundido como um vazio infinito.

Agora seu sentido deve ser afetado, e da quantidade infinita das determinações possíveis uma única deve ganhar realidade. Uma representação deve surgir nele. O que não fora mais que uma faculdade vazia no estado anterior de mera determinabilidade toma-se agora força agente, ganha conteúdo; ao mesmo tempo, enquanto força agente, torna-se limitada, embora enquanto mera capacidade fosse ilimitada. Há, portanto, realidade, mas a infinitude se perdeu. Para descrever uma figura no espaço temos de *limitar* o espaço infinito; para representar uma alteração no tempo temos de *dividir* à totalidade do tempo.[61] É somente através de limites, portanto, que chegamos à realidade; somente pela *negação* ou exclusão chegamos à *posição* ou postulação real; somente pela supressão de nossa livre determinabilidade à determinação.

Mas nenhuma realidade jamais surgiria de uma mera exclusão, e nenhuma representação jamais surgiria de uma mera impressão sensível, se não existisse algo *de que se* exclui, se a negação não fosse referida a algo positivo e se da não-posição não surgisse a oposição mediante um estado-de-ação absoluto;[62] essa ação da mente chama-se julgar ou pensar, e seu resultado é o *pensamento*.

Enquanto não determinamos um lugar no espaço não existe espaço para nós; sem o espaço absoluto, contudo, não determinaríamos um lugar. O mesmo dá-se com o tempo. Enquanto não temos o instante não há tempo para nós; sem o tempo eterno, contudo, não temamos a representação do instante. É somente pela parte que chegamos ao todo, somente pelos limites que chegamos ao ilimitado; por outro lado, é somente pelo todo que chegamos à parte, somente pelo ilimitado chegamos ao limite.

Quando, portanto, afirmamos que o belo permite ao homem uma passagem da sensação ao pensamento, isso não deve ser entendido como se o belo preenchesse o abismo que separa a sensação do pensamento, a passividade da ação; este abismo é infinito, e sem interferência de uma faculdade nova e autônoma é eternamente impossível que do individual surja algo universal, que do contingente surja o necessário. O pensamento é a ação imediata dessa faculdade absoluta, que tem de ser levada a manifestar-se mediante os sentidos, embora em sua manifestação mesma ela dependa tão pouco da sensibilidade que, pelo contrário, só se pronuncia mediante a oposição a esta. A autonomia com que age exclui toda influência estranha, e não é por ajudar no pensar (o que contém uma contradição manifesta), mas apenas por proporcionar às faculdades do pensamento liberdade de se exteriorizarem segundo suas leis próprias que a beleza pode tornar-se um meio de levar o homem da matéria à forma, das sensações a leis, de uma existência limitada à absoluta.

Isso supõe, contudo, que a liberdade das faculdades de pensamento possa ser obstruída, o que parece chocar-se com o conceito de uma faculdade autônoma. Uma faculdade que do exterior não receba mais do que a matéria de seu atuar pode ser impedida de atuar somente pela ausência de matérias, portanto apenas negativamente; seria desconhecer a natureza do espírito atribuir às paixões sensíveis o poder de oprimir positivamente a liberdade da mente. É bem verdade que a experiência fornece uma quantidade de exemplos em que as forças da razão parecem oprimidas na mesma medida em que as forças sensíveis se tornam mais fogosas; em lugar, contudo, de derivar a fraqueza espiritual do vigor do afeto, é preciso explicar este vigor predominante do afeto pela fraqueza do espírito; pois os sentidos não podem representar um poder contra o homem senão quando o espírito abdica livremente de provar-se como poder.

Todavia, ao tentar responder a esta objeção, minha explicação parece ter-me envolvido noutra, salvando a autonomia do espírito à custa de sua unidade. Pois como pode a mente tirar simultaneamente *de si mesma* fundamentos da não-atividade e da atividade, se ela não for cindida, oposta a si mesma?

Aqui devemos lembrar que temos diante de nós o espírito finito, não o infinito, O espírito finito é aquele que se torna ativo somente através da passividade, que chega ao absoluto somente através das limitações, que age e forma somente à medida que recebe matéria. Um tal espírito conjugará, portanto, ao impulso pela forma e pelo absoluto o impulso pela matéria e pelos limites, que são as condições sem as quais ele não poderia nem ter nem satisfazer o primeiro impulso. Saber em que medida essas duas tendências tão opostas podem coexistir num mesmo ser é tarefa que pode pôr em embaraço o metafísico, mas não o filósofo transcendental. Este não se ocupa em explicar a possibilidade das coisas, mas basta-se com estabelecer os conhecimentos a partir dos quais se compreende a possibilidade da experiência. E como a experiência seria tão impossível sem aquela oposição na mente quanto sem a sua unidade absoluta, ele estatui, com pleno direito, os dois conceitos como condições igualmente necessárias da experiência, sem preocupar-se mais com a sua possibilidade de ligação.[63] Esta coexistência de dois impulsos fundamentais em nada contradiz, aliás, a unidade absoluta do espírito, logo que o distingamos dos dois impulsos. Ambos existem e agem *nele*, mas ele mesmo não é nem matéria nem forma, nem sensibilidade nem razão, o que parecem não se ter dado conta aqueles que somente deixam agir o espírito humano quando seu procedimento concorda com a razão, declarando-o meramente passivo quando está em contradição com ela.

Cada um destes dois impulsos fundamentais, tão logo se tenha desenvolvido, empenha-se, natural e necessariamente, por sua satisfação, e justamente porque ambos se esforçam necessariamente por objetos opostos, este duplo constrangimento suprime-se reciprocamente, e a vontade afirma uma perfeita liberdade entre ambos.[64] É a vontade, portanto, que está para os dois impulsos como um *poder* (como fundamento da realidade), sendo que nenhum dos dois pode, por si só, comportar-se em face de outro como poder. O impulso mais positivo para a justiça, que certamente não falta ao homem violento, não irá impedi-lo de cometer injustiça, assim como a tentação mais viva do gozo não levará o justo a quebrar seus princípios. Não existe no homem nenhum outro poder além de sua vontade, e somente o que suprime o homem, como a morte ou qualquer roubo de sua consciência, pode suprimir a liberdade interior.

Uma necessidade *fora de nós* determina nosso estado e nossa existência no tempo através da impressão sensível. Esta é inteiramente involuntária, recebemo-la passivamente segundo a maneira pela qual somos afetados. Da mesma forma uma necessidade *em nós* revela nossa personalidade por ocasião daquela impressão sensível e por oposição a ela; pois a autoconsciência não pode depender da vontade, que a pressupõe. Esta anunciação originária da personalidade não é mérito nosso, nem falha nossa a sua ausência. Somente daquele que é consciente pode-se exigir razão, isto é, consequência absoluta e universalidade da consciência; antes disto ele não é homem e nenhum ato de humanidade pode ser esperado dele. Assim como o *metafísico* não sabe explicar as limitações que o espírito livre e autônomo sofre mediante a sensibilidade, da mesma forma o *físico* não pode compreender a infinitude que se revela na personalidade por ocasião dessas limitações. Nem abstração nem experiência conduzem-nos de volta à fonte de onde provêm nossos conceitos de universalidade e necessidade; sua manifestação prematura no tempo as subtrai ao observador, e sua origem suprassensível ao investigador metafísico. Basta, contudo, que a autoconsciência esteja ali, para que, com sua unidade inalterável, seja estabelecida simultaneamente a lei da unidade de tudo aquilo que é para o homem e de tudo aquilo que deve vir a ser *através dele*, a lei da unidade de seu conhecer e de seu agir. Os conceitos de verdade e justiça são expostos de uma maneira inevitável, indelével, incompreensível já na idade da sensibilidade, e sem que alguém saiba dizer de onde e como nasceram, percebe-se a eternidade no tempo e a necessidade no cortejo do contingente. Assim, sensibilidade e autoconsciência originam-se sem nenhuma participação do sujeito, e a origem de ambas está para além tanto de nossa vontade como da esfera de nosso conhecimento.

Se, entretanto, ambas são reais e se o homem fez a experiência de uma existência determinada mediante a sensibilidade, e a experiência de sua existência absoluta mediante a autoconsciência, seus dois impulsos fundamentais são estimulados com seus objetos. O impulso sensível desperta com a experiência da vida (pelo começar do indivíduo) e o racional com a experiência da lei (pelo começar da personalidade), e somente agora, após os dois terem se tornado existentes, está erigida a sua humanidade. Até que isso aconteça tudo nele se faz segundo a lei da necessidade; agora, porém, é abandonado pela mão da *natureza*, e passa a ser questão sua afirmar a humanidade que ela estruturara e revelara nele. Pois tão logo os dois impulsos fundamentais e opostos ajam nele, perdem ambos seu constrangimento, a oposição de suas necessidades dá origem à *liberdade*.*

---

* Para evitar mal-entendidos, lembro que a liberdade de que falo não é aquela encontrada necessariamente no homem enquanto inteligência, liberdade esta que não lhe pode ser dada nem tomada; mas sim aquela que se funda em sua natureza mista.[65] Quando age exclusivamente pela razão, o homem prova uma liberdade da primeira espécie; quando age racionalmente nos limites da matéria e materialmente, sob leis da razão, prova uma liberdade da segunda espécie. A segunda poderia ser explicada somente como uma possibilidade natural da primeira.

CARTA XX

Que não se possa influir na liberdade, isso resulta de seu próprio conceito; mas que a *própria liberdade* seja um efeito da *natureza* (tomando-se a palavra em seu sentido mais amplo), e não obra humana, que possa portanto ser propiciada ou obstruída por meios naturais, segue-se necessariamente do que ficou dito. Ela tem seu início somente quando o homem *é completo* e já desenvolveu seus *dois* impulsos fundamentais; ela tem, pois, de faltar enquanto ele for incompleto e um dos dois impulsos estiver excluído, mas ela tem de poder ser reconstituída por tudo aquilo que pode torná-lo de novo completo.

É realmente possível apontar, tanto para a espécie inteira quanto para o homem individual, um momento em que o homem é ainda incompleto e um dos dois impulsos é exclusivamente ativo nele. Sabemos que ele começa pela mera vida para terminar na forma; que é primeiramente indivíduo e depois pessoa; que caminha das limitações à infinitude. O impulso sensível, portanto, precede o racional na atuação, pois a sensação precede a consciência, e nesta *prioridade*[66] do impulso sensível encontramos a chave de toda a história da liberdade humana.

Existe, pois, um momento em que o impulso vital, porque o formal ainda não atua contra ele, age como natureza e necessidade; a sensibilidade, então, é um poder, visto que o homem ainda não começou; pois no homem propriamente dito não pode haver outro poder além da vontade. No estado do pensar, entretanto, para o qual o homem deve passar agora, dá-se justamente o contrário, a razão deve ser um poder e a necessidade física deve ser substituída pela necessidade lógica ou moral. É preciso que o poder da sensibilidade seja aniquilado antes que a lei seja elevada a poder. Não é suficiente, portanto, que comece algo que ainda não era; é preciso que antes cesse algo que era. O homem não pode passar imediatamente do sentir ao pensar; ele tem de *retroceder um passo*, pois somente quando uma determinação é suprimida pode entrar a que lhe seja oposta. Portanto, para substituir a passividade pela espontaneidade, a determinação passiva pela ativa, ele tem momentaneamente de *ser livre de toda determinação* e percorrer um estado de mera determinabilidade. Ele tem, de certo modo, de retroceder àquele estado negativo de mera ausência de determinações, no qual se encontrava antes de qualquer impressão ter afetado sua sensibilidade. Aquele estado, porém, fora completamente vazio de conteúdo, enquanto agora importa ligar uma igual ausência de determinações e uma determinabilidade igualmente ilimitada ao máximo possível de conteúdo, pois deste estado deve resultar imediatamente algo de positivo. A determinação que ele recebe pela sensação tem, portanto, de ser retida, pois ele não pode perder a realidade; ao mesmo tempo, entretanto, à medida que é limitação, ela tem de ser suprimida, pois deve ter lugar uma determinabilidade ilimitada. A tarefa, portanto, é destruir e conservar a um só tempo a determinação do estado, o que só é possível se lhe *opusermos uma outra*. Os pratos da balança equilibram-se quando vazios e também quando suportam pesos iguais.

A mente, portanto, passa da sensação ao pensamento mediante uma disposição intermediária, em que sensibilidade e razão são *simultaneamente* ativas e por isso mesmo suprimem mutuamente seu poder de determinação, alcançando uma negação mediante uma oposição. Esta disposição intermediária, em que a mente não é constrangida física nem moralmente, embora seja ativa dos dois modos, merece o privilégio de ser chamada uma disposição livre, e se chamamos físico o estado de determinação sensível, e lógico e moral o de determinação racional, devemos chamar *estético** o estado de determinabilidade real e ativa.

---

* Para leitores que não estejam familiarizados com a significação deste termo tão mal-empregado pela ignorância, sirva de explicação o seguinte. Todas as coisas que de algum modo possam ocorrer no fenômeno são pensáveis sob quatro relações diferentes. Uma coisa pode referir-se imediatamente a nosso estado sensível (nossa existência e bem-estar): esta é a sua índole física. Ela pode, também, referir-se a nosso entendimento, possibilitando-nos conhecimento: esta é sua índole *lógica*. Ela pode, ainda, referir-se à nossa vontade e ser considerada como objeto de escolha para um ser racional: esta é sua índole *moral*. Ou, finalmente, ela pode referir-se ao todo de nossas diversas faculdades sem ser objeto determinado para nenhuma isolada dentre elas: esta é sua índole estética. Um homem pode ser-nos agradável por sua solicitude; pode, pelo diálogo, dar-nos o que pensar; pode incutir respeito pelo seu caráter; enfim, independentemente disso tudo e sem que tomemos em consideração alguma lei ou fim, ele pode aprazer-nos na mera contemplação e apenas por seu modo de aparecer. Nesta última qualidade, julgamo-lo esteticamente. Existe, assim, uma educação para a saúde, uma educação do pensamento, uma educação para a moralidade, urna educação para o gosto e a beleza.[67] Esta tem por fim desenvolver em máxima harmonia o todo de nossas faculdades sensíveis e espirituais. Para contrariar a corriqueira sedução de um falso gosto, fortalecido também por falsos raciocínios segundo os quais o conceito do estético comporta o do arbitrário, observo ainda uma vez (embora estas cartas sobre a educação estética de nada mais se ocupem além da refutação deste erro) que a mente no estado estético, embora livre, e livre no mais alto grau, de qualquer coerção, de modo algum age livre de leis; e acrescento que a liberdade estética se distingue da necessidade lógica no pensamento e da necessidade moral no querer, apenas pelo fato de que as leis segundo as quais a mente procede ali *não são representadas*[68] e, como não encontram resistência, não aparecem como constrangimento.

CARTA XXI

Existe, como observei no início da carta anterior,[69] um duplo estado de determinabilidade e outro duplo de determinação. Posso agora tornar clara esta frase.

A mente é determinável apenas à medida que não está determinada de modo algum; também é determinável à medida que não é determinada por exclusão, isto é, à medida que não é limitada em sua determinação. Aquela é mera ausência de determinação (ilimitada porque sem realidade); esta é a determinabilidade estética (não tem limites porque unifica toda a realidade).

A mente é determinada, em geral, tão logo seja apenas limitada; é também determinada, contudo, à medida que limita a si mesma a partir da capacidade absoluta própria. Encontra-se no primeiro caso quando sente; no segundo quando pensa. O que, portanto, o pensar é em vista da determinação, a constituição estética é em vista da determinabilidade; aquele é limitação por força interior infinita; esta é negação por plenitude interior infinita. Assim como sentir e pensar se tocam num único ponto, enquanto nos outros se distanciam um do outro ao infinito, pois que nos dois estados a mente determina que o homem seja exclusivamente algo — ou indivíduo ou pessoa —, assim também a determinabilidade estética só coincide com a mera ausência de determinação num único ponto em que excluem toda existência determinada, pois em todos os outros são infinitamente distintas, como nada e tudo. Portanto, se ausência de determinação por falta era representada como uma *infinitude vazia*, a liberdade de determinação estética, que é a contrapartida real daquela, tem de ser considerada como uma *infinitude plena*; representação esta que coincide perfeitamente com aquilo que as investigações precedentes ensinam.

No estado estético, pois, o homem é *zero*, se se atenta num resultado isolado, não na capacidade toda, e se se considera a ausência de toda determinação particular nele. Por isso, tem-se de dar plena razão àqueles que declaram o belo e a disposição a que transporta nossa mente de todo indiferentes e estéreis em vista do *conhecimento* e da *intenção moral*. Têm plena razão, pois a beleza não oferece resultados isolados nem para o entendimento nem para a vontade, não realiza, isoladamente, fins intelectuais ou morais, não encontra uma verdade sequer, não auxilia nem mesmo o cumprimento de um dever, e é, numa palavra, tão incapaz de fundar o caráter quanto de iluminar a mente. Pela cultura estética, portanto, permanecem inteiramente indeterminados o valor e a dignidade pessoais de um homem, à medida que estes só podem depender dele mesmo, e nada mais se alcançou senão o fato de que, a partir de agora, tornou-se-lhe possível pela *natureza* fazer de si mesmo o que quiser — de que lhe é completamente devolvida a liberdade de ser o que deve ser.

Com isso, porém, alcança-se algo infinito. Pois, se lembramos que justamente essa liberdade lhe havia sido tomada pela coerção unilateral da natureza na sensação e pela legislação exclusiva da razão no pensamento, temos de considerar a capacidade que lhe é devolvida na disposição estética como a suprema de todas as dádivas, a dádiva da humanidade. É claro que ele já possui esta humanidade, como predisposição, antes de cada estado determinado a que possa chegar, mas ele a perde de fato em cada estado determinado a que chega, e ela tem de ser-lhe devolvida sempre de novo pela vida estética, para que ele deva poder passar a um estado oposto.*

Não é, portanto, mera licença poética, mas também um acerto filosófico, chamarmos a beleza nossa segunda criadora. Pois embora apenas torne possível a humanidade, deixando à nossa vontade livre o quanto queremos realizá-la, a beleza tem em comum com nossa criadora original, a natureza, o fato de que não

---

* É bem verdade que a rapidez com que certos caracteres passam da sensação ao pensamento e à decisão toma quase imperceptível a disposição que têm de percorrer necessariamente neste intervalo. Tais mentes não suportam por muito tempo o estado de indeterminação e procuram impacientes o resultado que não encontram no estado de ilimitação estética. Noutros, porém, que põem seu prazer na experiência de *toda a sua capacidade* mais que no *ato isolado*, o estado estético estende-se *por um espaço bem maior*. Aqueles temem tanto o vazio quanto estes não suportam a limitação. Não preciso lembrar que os primeiros são nascidos para o detalhe e ocupações subalternas, enquanto os segundos, pressuposto combinarem esta capacidade com a realidade, nasceram para o todo e para os grandes papéis.

nos concede nada mais senão a capacidade para a humanidade, deixando o uso da mesma depender da determinação de nossa própria vontade.

CARTA XXII

Assim, se por um lado a disposição estética da mente tem de ser considerada como *zero*, isto é, à medida que se tem em vista efeitos isolados e determinados, por outro, ela tem de ser apreciada como um estado da *máxima* realidade, se se atenta na ausência de toda determinação e na soma das forças que nela são conjuntamente ativas. Não se podem, portanto, chamar injustos aqueles que declaram o estado estético o mais fértil com vistas ao conhecimento e à moralidade. Têm plena razão, pois uma disposição da mente que abarca em si o todo da humanidade tem de encerrar em si também, segundo a capacidade, cada uma de suas manifestações isoladas; uma disposição da mente que afasta todos os limites da natureza humana tem necessariamente de afastá-los também de cada uma de suas manifestações isoladas. Por não proteger de modo exclusivo nenhuma das funções da humanidade, ela favorece todas sem exceção, e se não favorece nenhuma isoladamente é por ser a condição da possibilidade de todas elas. Todos os outros exercícios dão à mente uma aptidão particular e impõem-lhe, por isso, um limite particular; somente a estética o conduz ao ilimitado. Qualquer outro estado em que possamos ingressar remete a um anterior e exige, para sua dissolução, um subsequente; somente o estético é um todo em si mesmo, já que reúne em si todas as condições de sua origem e persistência. Somente aqui sentimo-nos como que arrancados ao tempo; nossa humanidade manifesta-se com pureza e *integridade*, como se não houvera sofrido ainda ruptura alguma pelas forças exteriores.

O que afaga nossos sentidos na sensação imediata abre nossa mente branda e móvel a toda impressão, mas torna-nos, na mesma medida, menos aptos ao esforço. O que dá tensão a nossas forças de pensamento e convida a conceitos abstratos fortalece nosso espírito para toda espécie de resistência, mas endurece-o na mesma proporção, tirando-nos tanta receptividade quanto nos proporciona de espontaneidade. Por isso mesmo, no final, um como o outro conduzem necessariamente ao esgotamento, pois a matéria não pode dispensar por muito tempo a força plasmadora, como a força não pode dispensar a matéria plástica. Se nos entregamos, entretanto, à fruição da beleza autêntica, somos senhores, a um tempo e em grau idêntico, de nossas forças passivas e ativas, e com igual facilidade nos voltaremos para a seriedade e para o jogo, para o repouso e para o movimento, para a brandura e para a resistência, para o pensamento abstrato ou para a intuição.

Esta alta serenidade e liberdade de espírito, combinada à força e à energia, é a disposição em que deve deixar-nos a autêntica obra de arte, e não há pedra de toque mais segura da verdadeira qualidade estética. Se após uma fruição desta espécie achamo-nos dispostos de preferência a alguma maneira de sentir ou agir, mas inaptos e enfastiados para outras, isso serve como prova inconteste de que não experimentamos um efeito *puramente estético* — seja por causa do objeto ou de nossa maneira de sentir, ou ainda (como é quase sempre o caso) por causa dos dois.

Como na realidade é impossível encontrar um efeito estético puro (pois o homem não pode escapar à dependência das forças), a excelência de uma obra de arte pode apenas consistir em sua maior aproximação daquele Ideal de pureza estética e, por grande que seja a liberdade alcançada, sempre iremos abandoná-la com uma disposição e uma direção particulares.[70] Quanto mais geral for esta disposição e quanto menos limitada for a direção que um determinado gênero de arte e um produto particular dele dão a nossa mente, tanto mais nobre será aquele gênero e tanto mais excelente será tal produto. Isso pode ser experimentado em obras de diversas artes e em diversas obras da mesma arte. Deixamos uma bela peça musical com a sensibilidade estimulada, o belo poema com a imaginação vivificada, e o belo quadro ou edifício com o entendimento desperto; mas quem quisesse convidar-nos ao pensamento abstrato imediatamente após uma alta fruição musical; utilizar-nos para um negócio comedido da vida comum, logo após uma alta fruição poética; afoguear nossa imaginação e surpreender nosso sentimento, logo após contemplarmos belas telas e esculturas, não teria escolhido a hora certa. Assim é porque, por sua matéria, mesmo a música mais espiritual está sempre numa maior afinidade com os sentidos que a suportada pela verdadeira liberdade estética; porque o mais bem-sucedido dos poemas sempre participa do jogo arbitrário e contingente da imaginação, como o *seu meio*, mais do que permite a necessidade interna do verdadeiramente belo; porque o quadro mais excelente, e talvez este mais do que os outros, toca os limites da ciência mais séria pela *determinação de seu conceito*. Estas afinidades particulares perdem-se, contudo, a cada grau mais alto que uma obra de qualquer destas três espécies alcance, e é uma consequência necessária e natural de seu aperfeiçoamento que as diferentes artes se aproximem cada vez mais uma das outras *em seu efeito sobre a mente*, sem que percam seus limites objetivos. Em seu enobrecimento supremo, a música tem de tornar-se forma e atuar sobre nós com o calmo poder da Antiguidade; em sua perfeição suprema, as artes plásticas têm de tornar-se música e comover-nos pela presença imediata e sensível; em seu desenvolvimento máximo, a poesia tem de prender-nos poderosamente, como a arte dos sons, mas ao mesmo tempo envolver-nos com serena clareza, como as artes plásticas. O estilo perfeito em cada arte revela-se no fato de que saiba afastar as limitações específicas da mesma, sem suprimir suas vantagens específicas, conferindo-lhe um caráter mais universal pela sábia utilização de sua particularidade.

Pelo tratamento, o artista tem de superar não apenas as limitações que o caráter específico de sua arte traz consigo, mas também aqueles inerentes à matéria que elabora. Numa obra de arte verdadeiramente bela o conteúdo nada deve fazer, a forma tudo; é somente pela forma que se atua sobre o todo do homem, ao passo que o conteúdo atua apenas sobre forças particulares. O conteúdo, por sublime e amplo que seja, atua sempre como limitação sobre o espírito, e somente da forma pode-se esperar verdadeira liberdade estética. O verdadeiro segredo do mestre, portanto, é este: *pela forma, ele destrói sua matéria*; e quanto mais imponente, ambicioso, sedutor, for o conteúdo em si mesmo, quanto mais o *seu* efeito se impuser, quanto mais o espectador se inclinar à consideração imediata da matéria, tanto mais triunfante será a arte que retém distanciado o apreciador e que afirma seu domínio sobre a matéria. A mente do espectador e do ouvinte tem de permanecer plenamente livre e intacta, tem de sair pura e perfeita do círculo mágico do artista como das mãos do Criador.[71] O objeto mais frívolo tem de ser tratado de modo que nos torne dispostos a passar dele imediatamente à seriedade mais rigorosa. O conteúdo mais sério tem de ser tratado de modo a conservar-nos a capacidade de trocá-la imediatamente pelo jogo mais leve. As artes do afeto, como a tragédia, não são objeção: pois, em primeiro lugar, não são artes de todo livres, já que estão a serviço de um fim particular (o patético) e, além do mais, nenhum verdadeiro conhecedor negará serem tanto mais perfeitas as obras, mesmo nessa classe, quanto mais pouparem, ainda que sob a máxima tempestade do afeto, a liberdade da mente. Existe uma bela arte da paixão; mas uma bela arte apaixonada é uma contradição, pois o efeito incontornável da beleza é a liberdade de paixões.[72] Não menos contraditório é o conceito de bela arte como ensinamento (didática) ou corregedora (moral), pois nada é tão oposto ao conceito da beleza quanto dar à mente uma determinada tendência.

Nem sempre, entretanto, o efeito exclusivo do conteúdo prova a ausência de forma numa obra; pode provar, igualmente, uma ausência de forma de quem julga. Se este é muito tenso ou muito brando; se está acostumado a apreender apenas com o entendimento ou apenas com os sentidos, mesmo ante o todo mais perfeito e ante a forma mais bela deter-se-á apenas nas partes e na matéria. Receptivo apenas ao elemento *grosseiro*, tem primeiro de destruir a organização estética de uma obra antes de nela encontrar alguma fruição é esgaravatar cuidadosamente o individual que o mestre, com arte infinita, havia feito desaparecer na harmonia do todo. Seu interesse é simplesmente ou físico ou moral; somente não é o que deve ser: estético. Tais leitores fruem um poema patético e grave como um sermão, e um poema ingênuo ou brincalhão, como uma bebida embriagadora; e se forem carentes de gosto a ponto de exigir *edificação* de uma tragédia ou epopeia, ainda que fosse uma Messíada,[73] seguramente se ofenderão em face de um canto anacreôntico[74] ou de Catulo.[75]

CARTA XXIII

Retomo o fio de minha investigação, que eu havia rompido para fazer a aplicação das afirmações expostas ao exercício da arte e ao julgamento de suas obras.[76]

A passagem do estado passivo da sensibilidade para o ativo do pensamento e do querer dá-se, portanto, somente pelo estado intermediário de liberdade estética, e embora este estado, em si mesmo, nada decida quanto a nossos conhecimentos e intenções, deixando inteiramente problemático nosso valor intelectual e moral, ele é, ainda assim, a condição necessária sem a qual não chegaremos nem a um conhecimento nem a uma intenção moral. Numa palavra: não existe maneira de fazer racional o homem sensível sem torná-lo antes estético.

Será absolutamente inevitável, poderíeis objetar-me, uma tal mediação? Verdade e dever não terão, em si e por eles próprios, acesso ao homem sensível? Ao que devo responder: não só podem como devem encontrar sua força determinantes simplesmente neles mesmos, e nada seria mais contrário às afirmações que fiz aqui do que se parecessem defender a opinião oposta. Provou--se explicitamente que a beleza não fornece resultado nem para o entendimento nem para a vontade, que ela não se intromete em nenhum empreendimento do pensar nem do decidir, que ela apenas concede a ambos a faculdade, mas nada determina acerca do uso efetivo dessa faculdade. Nesse uso elimina-se todo auxílio estranho, e a forma puramente lógica, o conceito, tem de falar imediatamente ao entendimento, assim como a pura forma moral, a lei, à vontade.

Mas que a beleza possa em geral apenas conceder a faculdade — que haja em geral apenas uma forma pura para o homem sensível, isso, afirmo, tem de ser antes possibilitado pela disposição estética da mente. A verdade não é nada que possa, como a realidade ou a existência sensível das coisas, ser recebida do exterior; ela é algo produzido espontaneamente pela força do pensamento em sua liberdade, e são justamente liberdade e espontaneidade que faltam no homem sensível. O homem sensível é já (fisicamente) determinado e não mais tem a livre determinabilidade; ele tem de recuperar essa determinabilidade perdida antes de poder trocar sua determinação passiva por uma ativa. Mas só pode recuperá-la à medida que perde a determinação passiva que possuía ou *à medida que já contém em si a determinação ativa* para a qual deve passar. Se ele apenas perdesse a determinação passiva, perderia com ela a possibilidade de uma ativa, pois o pensamento precisa de um corpo, e a forma pode realizar-se apenas numa matéria. Portanto, ele já conterá em si a determinação ativa, será determinado passiva e ativamente ao mesmo tempo, isto é, terá de tornar-se estético.

Pela disposição estética do espírito, portanto, a espontaneidade da razão é iniciada já no campo da sensibilidade, o poder da sensação é quebrado dentro já de seus próprios domínios, o homem físico é enobrecido de tal maneira que o espiritual, de ora em diante, só precisa desenvolver-se dele segundo as leis da liberdade. O passo do estado estético para o lógico e moral (da beleza para a verdade e o dever) é, pois, infinitamente mais fácil que o do estado físico para o estético (da vida meramente cega para a forma). Aquele passo o homem pode dar por sua mera liberdade, já que precisa apenas tomar, e não emprestar, apenas isolar sua natureza, e não a ampliar; o homem disposto esteticamente emitirá juízos universais e agirá universalmente tão logo o queira. Ao contrário, o passo da matéria crua para a beleza, através do qual uma atividade totalmente nova nele deve iniciar-se, tem de ser-lhe facilitado pela natureza, e sua vontade em nada pode comandar uma disposição que dá existência à própria vontade. Para conduzir o homem estético ao conhecimento e às grandes intenções, basta dar-lhe boas oportunidades; para obter o mesmo do homem sensível é preciso modificar-lhe a própria natureza. Naquele, por vezes, é suficiente o desafio de uma situação sublime (que atua do modo mais imediato sobre a faculdade volitiva), para transformá-la em herói e sábio; este precisa ser posto, antes, sob outro céu.

É das tarefas mais importantes da cultura, pois, submeter o homem à forma ainda em sua vida meramente física e torná-la estético até onde possa alcançar o reino da beleza, pois o estado moral pode nascer apenas do estético, e nunca do físico.

Se o homem deve possuir, em cada caso particular, a faculdade de tornar sua vontade e seu juízo o juízo da espécie; se deve encontrar a passagem de cada existência limitada para uma existência infinita; se deve poder elevar-se de todo estado dependente para a espontaneidade e liberdade, é preciso prover para que em nenhum momento ele seja somente indivíduo e sirva apenas à lei natural. Se deve ser capaz e estar pronto para elevar-se do círculo estreito dos fins naturais para os fins da razão, ele há de ter-se exercitado para os fins da razão já *nos primeiros* e há de ter realizado já sua determinação física com uma certa liberdade do espírito, isto é, segundo as leis da beleza.

É possível ao homem proceder deste modo sem que contradiga minimamente seu fim físico. As exigências da natureza voltam-se apenas para o que *ele produz, para o conteúdo* de seu agir; quanto à maneira de *como* ele produz, quanto à sua forma, os fins naturais nada determinam. As exigências da razão, pelo contrário, são rigorosamente direcionadas à forma de sua atividade. Portanto, assim como é necessário para sua determinação moral que ele seja puramente moral e que demonstre uma espontaneidade absoluta, da mesma maneira é indiferente para sua determinação física se ele é puramente físico, se se comporta de maneira absolutamente passiva. Quanto a esta última, fica a seu arbítrio se quer desempenhá-la meramente como ser sensível e como força natural (ou seja, como uma força que só atua conforme seja afetada), ou ao mesmo tempo como força absoluta, como ser racional, e não se poderia sequer perguntar qual das duas corresponde melhor à sua dignidade. Ou antes, para ele, tanto é degradante e vergonhoso fazer por impulso sensível aquilo a que ele deveria ter-se determinado por motivos puros do dever, quanto lhe é honroso e enobrecedor empenhar-se pela legalidade, pela harmonia, pela não-limitação, ali onde o homem comum apenas sacia seu desejo lícito.* Numa palavra: no âmbito

---

* Onde quer que o encontremos, este tratamento espirituoso e esteticamente livre da realidade comum é o sinal de uma alma nobre. Deve ser dita nobre a mente que tenha o dom de tomar infinitos, pelo modo de tratamento, mesmo o objeto mais mesquinho e a mais limitada empresa. É nobre toda a forma que imprime o selo da autonomia àquilo que, por natureza, apenas *serve* (é mero meio). Um espírito nobre não se basta com ser livre; precisa pôr em liberdade todo o mais à sua volta, mesmo o inerte. Beleza, entretanto, é a única expressão possível da liberdade no fenômeno.[77] A expressão predominante do *entendimento* numa face ou numa obra de arte nunca

da verdade e da moralidade a sensação nada deve poder determinar; no domínio da felicidade, entretanto, a forma pode existir e o impulso lúdico pode ser mandamento.[80]

É no campo indiferente da vida física, portanto, que o homem tem de iniciar sua vida moral; tem de iniciar sua espontaneidade na passividade, assim como a liberdade racional no seio das limitações sensíveis. Tem de impor já às suas limitações a lei de sua vontade. O homem deve, se me permitirdes a expressão, travar guerra contra a matéria em seus próprios limites, para isentar-se de lutar contra o terrível inimigo no campo sagrado da liberdade; tem de aprender a desejar mais *nobremente*, para não ser forçado *a querer de modo* sublime. Isso é alcançado pela cultura estética, que submete às leis da beleza tudo aquilo que nem as leis da natureza nem as da razão prescrevem ao arbítrio humano, iniciando a vida interna já na forma que empresta à vida externa.

---

pode ser nobre, como não pode também ser bela, pois acentua a dependência (que é inseparável da finalidade) em lugar de ocultá-la.

O filósofo moral[78] ensina-nos que nunca se pode fazer *mais* do que o dever, e tem razão se visa apenas à relação das ações com a lei moral. Em ações, porém, que se referem a meramente a um fim, ir ao suprassensível *para além desse fim* (que não pode significar aqui senão realizar esteticamente o físico) quer dizer ao mesmo tempo ir *para além do dever*, à medida que este só pode prescrever que a *vontade* seja santa, mas não que a *natureza* já se tenha santificado. Embora não haja transgressão moral do dever, há uma transgressão estética do mesmo, e um tal comportamento é dito nobre. Contudo, exatamente porque sempre se percebe no que é nobre uma abundância (pois aquilo que necessitaria ter um valor material possui também um valor formal livre, ou une ao valor interno que deve ter um externo que poderia faltar-lhe), alguns incautos confundiram abundância estética e abundância moral e, seduzidos pela aparência do nobre, transportaram certo arbítrio e contingência para dentro da própria moralidade, o que a teria suprimido completamente.

É preciso distinguir entre o comportamento nobre e o sublime.[79] O primeiro vai além da obrigação moral, mas não o segundo, embora o respeitemos mais que o primeiro. Não o respeitamos por superar o conceito racional de seu objeto (a lei moral), mas por superar o conceito empírico de seu sujeito (nossos conhecimentos da bondade e da força da vontade humana); inversamente, não valorizamos um comportamento nobre por ultrapassar a natureza do sujeito, da qual ao contrário tem de fluir sem constrangimento, mas por ir além da natureza de seu objeto (o fim físico) em direção do reino espiritual. Admiramos, num caso, a vitória do objeto sobre o homem; noutro, o enlevo que o homem dá a seu objeto.

CARTA XXIV

Podem-se distinguir três momentos ou estágios de desenvolvimento que tanto o homem isolado quanto a espécie têm de percorrer necessariamente e numa determinada ordem, caso devam preencher todo o círculo de sua destinação. Embora os períodos isolados possam ser prolongados ou abreviados por causas acidentais, encontradas na influência dos objetos exteriores ou no livre-arbítrio humano, eles não podem ser saltados, assim como a ordem de sua sucessão não pode ser invertida pela natureza ou pela vontade. No estado *físico* o homem apenas sofre o poder da natureza, liberta-se deste poder no estado *estético*, e o domina no estado *moral*.

Que é o homem antes de a beleza suscitar-lhe o prazer livre[81] e a forma serena abrandar-lhe a vida selvagem? Eternamente uniforme em seus fins, alternando eternamente em seus juízos, egoísta sem ser ele mesmo, desobrigado sem ser livre, escravo sem servir uma regra. Nesta época o mundo é para ele apenas destino, ainda não é objeto; tudo tem existência para ele somente à medida que lhe proporciona existência; o que nada lhe dá ou toma é para ele inexistente. Todo fenômeno surge diante dele assim como ele mesmo se encontra na série dos seres: só e isolado. Tudo o que é, é para ele pela voz de comando do instante; toda modificação é para ele uma criação totalmente nova, pois com a necessidade *nele* falta-lhe a necessidade *fora dele*, que unifica as formas mutáveis em um cosmos e sustenta a lei no palco, se o indivíduo se afasta. É vão o desfile da rica multiplicidade natural ante seus sentidos; na sua plenitude magnífica ele não vê mais que sua presa, no seu poder e grandeza vê apenas seu inimigo. Atira-se aos objetos e quer incorporá-los com desejo, ou tenta repeli-los, apavorado, já que para ele avançam destruidores. Nos dois casos sua relação com o mundo sensível é de *contato* imediato; eternamente atemorizado por sua pressão, torturado incansavelmente pelo desejo imperioso, o homem encontra o repouso somente na exaustão e o limite somente no desejo exaurido.

Zwar die gewaltge Brust und der Titanen
Kraftvolles Mark ist sein...
Gewisses Erbteil; doch es schmiedete
Der Gott um seine Stirn ein ehern Band,
Rat, Mässigung und Weisheit und Geduld
Verbarg er seinem scheuen, düstern Blick.
Es wird zur Wut ihm jegliche Begier,
Und grenzenlos dringt seine Wut umher.[82]

Desconhecendo a sua própria dignidade humana, ele está longe de honrá-la nos outros, e, tendo consciência de sua própria voracidade selvagem, teme-a em toda criatura que se lhe assemelha. Nunca vê os outros em si, mas somente a si nos outros, e a sociedade, em lugar de ampliá-lo até que se torne espécie, encerra-o mais e mais em sua individualidade. Nesta limitação obtusa ele vagueia por uma vida escura como a noite, até que uma natureza favorável lhe arranque a carga material de seus sentidos turvados, até que, pela reflexão,[83] *ele próprio* se distinga das coisas, e os objetos finalmente se mostrem no reflexo da consciência.

Sem dúvida, este estado de crua natureza não pode ser verificado, tal como o descrevemos aqui, em nenhum povo ou época determinados; é apenas Ideia, mas uma Ideia[84] com a qual, em seus traços isolados, a experiência coincide com a maior exatidão. O homem, pode-se dizer, nunca esteve de todo nesse estágio animal, mas também nunca lhe escapou por completo. Mesmo nos sujeitos mais brutos encontramos vestígios inconfundíveis da liberdade da razão, assim como no mais culto não faltam momentos que evoquem o sombrio estado de natureza. É próprio do homem conjugar o mais alto e o mais baixo em sua natureza, e se sua *dignidade* repousa na severa distinção entre os dois, e *felicidade* encontra-se na hábil supressão dessa distinção. A cultura, portanto, que deve levar à concordância de dignidade e felicidade, terá de prover à máxima pureza dos dois princípios em sua mistura mais íntima.[85]

A primeira aparição da razão no homem não é ainda o começo de sua humanidade. Esta só é decidida pela liberdade do homem, e só com ela a razão começa a tornar ilimitada a sua dependência sensível; um fenômeno que não me parece suficientemente estudado, visto sua importância e generalidade. A razão, sabemos, dá-se a conhecer no homem pela exigência do absoluto (do que é fundado em si mesmo e necessário), exigência que, não podendo ser satisfeita em nenhum estado isolado de sua vida física, constrange a abandonar totalmente o físico e a passar de uma realidade limitada a Ideias. Contudo, embora o verdadeiro sentido desta exigência seja arrancá-lo aos limites do tempo e fazê-lo ascender do mundo sensível ao mundo ideal, ela pode levá-lo, em consequência de um mal-entendido (difícil de evitar nesta época de sensualidade predominante), a visar à vida física, lançando o homem, em vez de torná-lo independente, na mais terrível servidão.

É isso que realmente se dá. Nas asas da imaginação o homem abandona os limites estreitos do presente, em que o encerra a mera animalidade, para empenhar-se por um futuro ilimitado; ao abrir-se, entretanto, o infinito à sua *imaginação* vertiginosa, o coração ainda não deixou de viver no individual e de servir ao instante. Em plena animalidade ele é surpreendido pelo impulso para o absoluto — e como nesse estado obscuro todo o seu empenho se volta para o meramente material e temporal, e limita-se apenas a seu indivíduo, mediante aquela exigência ele é levado não a abstrair de seu indivíduo, mas estendê-lo até o infinito; a empenhar-se não pela forma, mas por uma matéria inesgotável, não pelo imutável, mas por uma modificação que dure eternamente e por uma consolidação absoluta de sua existência temporal. O mesmo impulso que, aplicado ao pensamento e aos atos, deveria levar à verdade e à moralidade origina apenas uma avidez sem limite e uma carência absoluta quando referido à passividade e à sensação. Os primeiros frutos que o homem colhe no reino espiritual, portanto, são a *preocupação* e o *temor*, ambos efeitos da razão e não da sensibilidade, mas de uma razão que se engana quanto ao seu objeto, aplicando o seu imperativo imediatamente à matéria. Frutos dessa árvore são todos os sistemas da felicidade incondicional, tenham por objeto o dia de hoje, a vida inteira ou, o que não os torna mais respeitáveis, toda a eternidade.[86] A duração ilimitada da existência e do bem-estar, apenas pela existência e pelo bem-estar, é um mero Ideal do desejo, exigência, portanto, que pode ser proposta somente por uma animalidade que se empenha pelo absoluto. Manifestações racionais desta ordem nada acrescentam à sua humanidade, antes tomam ao homem a limitação feliz do animal, em face da qual apresenta a superioridade nada invejável de ter perdido a posse do presente para empenhar-se pelo futuro sem, entretanto, procurar em todo o futuro ilimitado outra coisa além do presente.

Mesmo que a razão não se engane quanto a seu objeto e não se desvie da questão, a sensibilidade ainda falseia as respostas por muito tempo. Tão logo o homem começa a utilizar o seu entendimento para articular os fenômenos à sua volta segundo as causas e os fins, a razão exige, segundo seu conceito, uma conexão absoluta e um fundamento incondicional. Para poder propor tal exigência é necessário que o homem já tenha ultrapassado a sensibilidade; esta, contudo, vale-se desta mesma exigência para recuperar o fugitivo. Este seria o ponto em que ele teria de abandonar completamente o mundo sensível, erguendo-se para o das Ideias; pois o entendimento fica eternamente retido no condicionado e prossegue eternamente em suas perguntas, sem jamais atingir um fundamento último. Por não ser, entretanto, capaz de uma tal abstração, o homem de que falamos aqui irá procurar no *campo do sentimento* — e aparentemente encontrará — o que não achou em seu *campo do conhecimento sensível* e o que não soube ainda procurar para além dele, na razão pura. A sensibilidade nada lhe mostra que possa ser fundamento próprio e que legisle a si mesmo, porém exibe-lhe algo que nada sabe de fundamentos e não respeita lei alguma. Não podendo o homem apaziguar as indagações do entendimento através de um fundamento último e interno, cala-o com o conceito do *infundado*, permanecendo nos domínios da cega coerção da matéria, já que ainda não pode conceber a sublime necessidade da razão. Como a sensibilidade não conhece outro *fim* senão o seu privilégio e como não se sente impelida por nenhuma *causa* senão pelo cego acaso, o homem faz daquele o determinador de suas ações e deste, o senhor do mundo.

Mesmo o que é sagrado no homem, a lei moral, não escapa a essa falsificação quando de sua primeira aparição na sensibilidade. Por ser apenas proibitiva e contrariar o interesse do amor-próprio sensível, ela parecerá ao homem algo de exterior enquanto ele não reconhecer o exterior no amor-próprio e a voz da razão como sendo seu verdadeiro eu. Sente, pois, somente as correntes que esta última lhe impõe, e não a libertação infinita que lhe proporciona. Enquanto não suspeita em si a dignidade do legislador, percebe apenas a coerção e a resistência impotente do súdito. Porque o impulso sensível *precede* o moral na experiência, o homem confere um início no tempo à lei da necessidade, uma *origem positiva*, e faz, pelo mais infeliz dos erros, do imutável e eterno um acidente do perecível. Convence-se de que os conceitos de justiça e injustiça são estatutos introduzidos por uma vontade e não são, portanto, válidos em si mesmos e para toda a eternidade. Como para explicar fenômenos naturais isolados ele ultrapassa a *natureza* e procura fora dela o que somente pode ser encontrado em sua legalidade interna, assim também ele ultrapassa a *razão* para explicar o ético, perdendo sua humanidade nesta procura de uma divindade. Não é de espantar que uma religião, comprada à custa de sua humanidade, se mostre digna de sua origem; e que ele não respeite incondicionalmente e *por* toda a eternidade uma lei que não se impôs *desde* toda a eternidade. Ele não está em face de um ser sagrado, mas apenas de um ser poderoso. O espírito de seu culto a Deus, portanto, é o temor que o degrada, e não o respeito que o nobilita a seus próprios olhos.

Embora estes múltiplos desvios do homem com relação ao Ideal de sua destinação não se deem todos na mesma época, pois são necessárias diversas fases da ausência do pensar ao erro, como da ausência de vontade à corrupção da mesma, assim todas essas situações fazem parte da sequência dos estados físicos, pois, em todas, o impulso vital subjuga o impulso formal. Seja que a razão não se tenha manifestado ainda no homem e que o físico nele domine com cega necessidade, seja que a razão não se tenha ainda purificado o suficiente dos sentidos, servindo a moral ao que é físico: nos dois casos o único princípio dominante é material, e o homem, ao menos quanto à tendência última, é um ser sensível com a única diferença de que no primeiro caso é um animal irracional, enquanto no segundo é um animal racional. Ele não deve, entretanto, ser nenhum dos dois: deve ser homem; a natureza não deve dominá-lo de maneira exclusiva, nem a razão deve dominá-lo condicionalmente. As duas legislações devem existir com plena independência, e ainda assim perfeitamente unidas.

CARTA XXV

Em seu primeiro estado físico, o homem capta o mundo sensível de maneira puramente passiva, apenas sente, sendo plenamente uno com ele, e justamente por ser o próprio homem apenas mundo, não há ainda mundo para ele. Somente quando, em estado estético, ele o coloca fora de si ou o *contempla*, sua personalidade se descola dele, e um mundo lhe aparece porque deixou de ser uno com ele.*

A contemplação (reflexão) é a primeira relação liberal do homem como o mundo que o circunda.[87] Enquanto a voracidade agarra seu objeto de maneira imediata, a contemplação afasta o seu e faz dele sua propriedade verdadeira e inalienável à medida que o guarda da paixão. A necessidade natural, que o dominara sem divisão de poder no estado da mera sensação, libera o objeto na reflexão; há trégua momentânea nos sentidos, o próprio tempo eternamente mutável repousa enquanto os raios dispersos da consciência convergem e uma imagem do infinito, a forma, se reflete no fundo perecível. Quando surge a luz no homem, deixa de haver noite fora dele; quando se faz silêncio nele, a tempestade amaina no mundo, e as forças conflituosas da natureza encontram repouso em limites duradouros.[88] Não é de admirar, portanto, que os poemas antiquíssimos relatem este grande acontecimento no interior do homem como sendo uma revolução no mundo externo e simbolizem, na imagem de Zeus pondo fim ao império de Saturno,[89] a vitória do pensamento sobre as leis do tempo.

---

* Lembro mais uma vez que estes dois períodos devem ser necessariamente distinguidos na Ideia, embora na experiência apareçam mais ou menos misturados. Não se deve imaginar, também, um tempo em que o homem se encontrasse apenas nesse estado físico, e outro em que dele se libertasse completamente. Tão logo o homem *vê um objeto*, não está mais no estado puramente físico; e enquanto continuar vendo um objeto, não escapará aô estado físico já que só pode ver à medida que sente. Considerados em conjunto, os três momentos que apresentei no início da Carta XXIV são três épocas diversas para o desenvolvimento de toda a humanidade e para o desenvolvimento do homem isolado; mas são distinguíveis também em cada percepção isolada de um objeto; são, numa palavra, as condições necessárias de todo conhecimento que alcançamos pelos sentidos.

Escravo da natureza quando apenas a sente, o homem torna-se o seu legislador quando a pensa. Ela, que o dominava enquanto *poder*, é agora *objeto* diante de seu olhar julgador. O que é objeto para ele nada pode contra ele, pois tornou-se objeto pelo seu poder. Na medida em que dá forma à matéria e enquanto a dá, está a salvo de seus efeitos; pois nada pode ferir um espírito a não ser aquilo que lhe toma a liberdade, mas ele justamente comprova a sua, à medida que dá forma ao informe. Só ali onde a massa domina de maneira pesada e desfigurada, e onde os contornos escuros vacilam entre limites imprecisos, é que o temor faz sua morada; o homem é superior aos terrores da natureza tão logo saiba dar-lhes forma e transformá-los em seu objeto. Logo que afirma sua autonomia contra a natureza enquanto fenômeno, afirma também sua dignidade contra a natureza enquanto poder, voltando-se com nobre liberdade contra seus próprios deuses. Estes perdem a aparência espectral com que haviam atemorizado sua infância e surpreendem-no com sua própria imagem ao tornarem-se sua representação. O monstro divino dos orientais, que governa o mundo com a cega energia do animal de rapina, toma, na fantasia grega, o contorno amável da humanidade, o reino dos titãs é derrotado e a força infinita é domada pela forma infinita.

Entretanto, ao procurar uma saída do mundo material e uma passagem para o do espírito, o livre curso de minha imaginação levou-me ao próprio bojo deste. A beleza que procuramos está atrás de nós, nós a saltamos, ao passar imediatamente da mera vida à forma e ao objeto puro. Na natureza humana não se encontra um tal salto, e para acertarmos o passo com ela temos de voltar ao mundo sensível.

A beleza é certamente obra da livre contemplação, e com ela penetramos o mundo das Ideias — mas sem deixar, note-se bem, o mundo sensível, como ocorre no conhecimento da verdade. Esta é o puro produto da abstração de tudo o que é material e contingente, objeto puro no qual não deve subsistir limitação alguma do sujeito, pura espontaneidade, sem mescla de atitude passiva. É bem verdade que mesmo da mais alta abstração existe regresso à sensibilidade, pois o pensamento toca a sensação interna e a representação da unidade lógica ou moral converte-se num sentimento de harmonia sensível. Quando nos deleitamos com o conhecimento, entretanto, distinguimos muito claramente nossa representação de nossa sensação, e vemos, nesta última, algo de contingente que poderia faltar sem que o conhecimento cessasse e a verdade deixasse de ser verdade. Seria uma empresa de todo vã, no entanto, querer separar da representação da *beleza* esta relação com a faculdade sensível; por ser insuficiente pensar uma como efeito da outra, temos de ver as duas simultânea e reciprocamente como causa e efeito. No contentamento com conhecimentos distinguimos facilmente a *passagem* da atividade para a passividade e percebemos com clareza o desaparecer da primeira quando a segunda surge. Na satisfação que experimentamos com a beleza, ao contrário, não se pode distinguir uma tal sucessão de atividade e passividade, e a reflexão imbrica-se tão perfeitamente no sentimento que acreditamos sentir imediatamente a forma. A beleza, portanto, é *objeto* para nós, porque a reflexão é condição sob a qual temos uma sensação dela, mas é, ao mesmo tempo, *estado de nosso sujeito*, pois o sentimento é a condição sob a qual temos uma representação dela.[90] Ela é, portanto, forma, pois que a contemplamos, mas é, ao mesmo tempo, vida, pois que a sentimos. Numa palavra: é, simultaneamente, nosso estado e nossa ação.

Por ser os dois ao mesmo tempo, a beleza serve-nos como prova decisiva de que a passividade não exclui a atividade, nem a matéria exclui a forma, nem a limitação a infinitude — de que pela necessária dependência física do homem não se suprime absolutamente sua liberdade moral. A beleza o prova, e devo acrescentar que *somente* ela pode prová-lo. Porque já que na fruição da verdade ou da unidade lógica a sensação não é necessariamente uma com o pensamento, mas o segue de maneira contingente, ela pode provar-nos apenas que uma natureza sensível pode seguir uma racional e inversamente, mas não que ambas subsistem juntas, não que atuam reciprocamente uma sobre a outra, nem que têm de ser ligadas absoluta e necessariamente. Pelo contrário, a partir da exclusão do sentimento, enquanto se pensa, e do pensamento, enquanto se sente, poder-se-ia concluir uma *incompatibilidade* das duas naturezas, da mesma forma que os analistas não sabem aduzir melhor prova da possibilidade de realizar a razão pura na humanidade que o fato de que tal realização é imperativa. Ora, como na fruição da beleza ou na *unidade estética* se dá uma *unificação real* e uma alternância da matéria com a forma, da passividade com a atividade, por isso mesmo se prova a *unificabilidade* das duas naturezas, a exequibilidade do infinito no finito, portanto a possibilidade da humanidade mais sublime.

Já não podemos, portanto, ficar embaraçados ao buscar uma passagem da dependência sensível para a liberdade moral, depois que se mostrou mediante a beleza que as duas podem subsistir plenamente juntas e que o homem não precisa fugir da matéria para afirmar-se como espírito. Mas se o homem já é livre em comunidade com a sensibilidade, como ensina o *factum*[91] da beleza, e se a liberdade é algo absoluto e suprassensível, como decorre necessariamente de seu conceito, não se pode mais perguntar como ele chega a elevar-se dos limites ao absoluto, a opor-se à sensibilidade em seu pensamento e em seu querer, pois isso já ocorreu na beleza. Numa palavra, não se pode mais perguntar como ele passa da beleza à verdade, pois esta já está em potência na primeira, mas sim como ele abre caminho de uma realidade comum a uma realidade estética, dos meros sentimentos vitais a sentimentos de beleza.

CARTA XXVI

Já que a disposição estética da mente, como desenvolvi nas cartas anteriores, dá antes o nascimento à liberdade, fica fácil ver que ela não pode resultar da liberdade e, consequentemente, ter uma origem moral.[92] Ela tem de ser um presente da natureza; somente o favor[93] dos acasos pode soltar as correntes do estado físico e conduzir o selvagem à beleza.

A semente desta se desenvolve muito pouco onde uma natureza pobre rouba ao homem o lazer e onde, perdulária, libertá-lo de qualquer esforço — onde a sensibilidade embotada não sinta nenhuma necessidade e onde o desejo violento não se sacie. O botão da humanidade não floresce ali onde o homem se esconde nas cavernas *como um troglodita*, onde está eternamente só e jamais encontra a humanidade *fora de si*; nem ali onde, *como um nômade*, viaja em grandes massas, onde é eternamente apenas um número e jamais encontra a humanidade *em si* — mas só ali onde fala consigo mesmo ao recolher-se ao silêncio de sua cabana, e com toda a espécie, ao sair dela. Onde o leve sopro abre os sentidos ao mais suave toque e onde o calor enérgico anima a matéria copiosa — onde o império da massa cega já está derrubado mesmo entre a criação inerte e onde a forma vitoriosa enobrece mesmo as naturezas mais baixas —; nestas relações joviais e nesta região abençoada, onde somente a atividade leva à fruição e a fruição à atividade; onde a ordem sagrada jorra da própria vida e só vida se desenvolve da lei da ordem; onde a imaginação escapa eternamente da realidade e, no entanto, nunca perde a simplicidade da natureza — somente ali os sentidos e o espírito, as forças receptivas e formadoras poderão crescer, num equilíbrio feliz, que é a alma da beleza e a condição da humanidade.[94]

E qual é o fenômeno que anuncia no selvagem o advento da humanidade? Por muito que indaguemos à história, encontramos sempre a mesma resposta para os povos todos que tenham emergido da escravidão do estado animal: a alegria com a *aparência*, a inclinação para o *enfeite* e para o *jogo*.

A mais alta estupidez e o mais alto entendimento têm uma certa afinidade entre si no fato de que ambos só buscam o *real* e são de todo insensíveis para a mera aparência.[95] Aquela deixa seu repouso somente pela presença imediata de um objeto nos sentidos, e este volta ao repouso somente pela redução de seus conceitos a fatos da experiência; numa palavra, a ignorância não pode erguer-se para além da realidade, e o entendimento não suporta ficar aquém da verdade. À medida, portanto, que a carência de realidade e a adesão ao real são meros efeitos da privação, a indiferença para com a realidade e o interesse pela aparência são uma verdadeira ampliação da humanidade e um passo decisivo para a cultura. Demonstram, inicialmente, uma liberdade exterior, pois, enquanto a privação domina e a carência aperta, a imaginação fica severamente acorrentada ao real; só depois de saciada a carência, sua faculdade livre pode desenvolver-se. Demonstram também uma liberdade interior, pois revelam uma força que, independentemente dos objetos exteriores, move a si mesma e tem energia suficiente para manter à distância a pressão da matéria. A realidade das coisas é obra das coisas; a aparência das coisas é obra do homem, e uma mente que aprecia a aparência já não se compraz com o que recebe, mas com o que faz.

É claro que aqui só se trata da aparência estética que se distingue da realidade e verdade — não da aparência lógica que se confunde com estas —, que consequentemente é amada por ser aparência e não porque se possa tomá-la por algo melhor que ela mesma. Somente a primeira é jogo, ao passo que a segunda é mero engano. Não prejudica a verdade admitir a aparência da primeira espécie, pois não existe o perigo de substituir aquela por esta, única maneira de feri-la; desprezá-la é desprezar a bela arte em geral, cuja essência é a aparência. Entretanto, por vezes ocorre que o entendimento leve seu zelo pela realidade à intolerância e emita um juízo desdenhoso sobre toda a arte da bela aparência, porque é mera aparência; mas isso ocorre somente quando o entendimento se lembra da afinidade acima exposta. Ainda terei oportunidade de falar em particular dos limites necessários da bela aparência.

É a própria natureza que eleva o homem da realidade à aparência, já que o dotou de dois sentidos que somente pela aparência podem conduzi-lo ao conhecimento do real. Na visão e na audição o afluxo da matéria fica afastado dos sentidos, e o objeto que tocamos imediatamente nos sentidos animais se distancia de nós. O que *vemos* pelo olho é diverso do que *sentimos*; pois o entendimento salta por sobre a luz em direção aos objetos. O objeto do tato é uma força que sofremos; o do olho e do ouvido é uma forma que engendramos. Enquanto é ainda um selvagem, o homem frui apenas com os sentidos do sentimento, aos quais os sentidos da aparência apenas servem nesse período. Ou ele não se eleva ao ver ou não se satisfaz com o mesmo. Tão logo comece a fruir com o olho e o ver alcance para ele um valor autônomo, ele é já também esteticamente livre, e o impulso lúdico se desenvolveu.

Assim que desperta, o impulso lúdico, que se apraz na aparência, será seguido pelo impulso mimético de criação, que trata a aparência como algo autônomo. Quando chega ao ponto de distinguir a aparência e a realidade, a forma e o corpo, o homem é capaz de separá-los dele; pois já o fez, à medida que os distinguiu. A capacidade para a arte mimética fica dada, portanto, com a própria capacidade para a forma; o ímpeto para a mesma repousa em outra disposição, de que não preciso tratar aqui. O desenvolvimento precoce ou tardio do impulso estético para a arte dependerá do grau de amor com que o homem seja capaz de deter-se na mera aparência.

Uma vez que toda a existência real deriva da natureza, como um poder estranho, mas como toda a aparência deriva originalmente do homem, enquanto sujeito dotado de representação, ele se serve apenas de seu direito absoluto de propriedade quando retira a aparência da essência e dela dispõe segundo leis próprias. O que a natureza separou, ele pode unificar com liberdade ilimitada, tão logo lhe seja concebível esta união, e pode separar o que a natureza havia unificado, tão logo consiga realizar a separação em seu entendimento. Nada lhe pode ser mais sagrado que sua própria lei, respeitada a fronteira que separa o *seu* domínio da existência das coisas ou do domínio da natureza.

Este direito humano de domínio ele exerce na *arte da aparência*, e quanto mais severo for no distinguir entre o "meu" e o "seu", quanto mais cuidadosamente separar a forma da essência, quanto mais autonomia lhe saiba dar,tanto mais chegará não só a ampliar o reino da beleza, mas a preservar também os limites da verdade; pois ele não pode purificar a aparência de toda realidade sem libertar, ao mesmo tempo, a realidade da aparência.

Entretanto, ele só possui esse direito soberano no mundo da aparência, no reino sem essência da imaginação, e somente o possui enquanto conscienciosamente se abstém, na teoria, de afirmar sua existência e, na prática, de atribuir existência através dele. Vedes, portanto, que o poeta sai de seus limites quando confere existência a seu Ideal ou quando tem como fim uma determinada existência através dele. Mas ele não pode fazer nenhum dos dois senão à medida que transgride seu direito de poeta, invade pelo Ideal o âmbito da experiência e ousa determinar a existência real através da mera possibilidade, ou à medida que abdica de seu direito de poeta, deixa a experiência invadir o âmbito do Ideal e limita a possibilidade às condições da realidade.

A aparência é estética somente quando *sincera* (renunciando expressamente a qualquer pretensão à realidade) e quando *autônoma* (despojando-se do apoio da realidade). Tão logo seja falsa e simule realidade, tão logo seja impura e careça da realidade para seu efeito, ela torna-se nada mais que um baixo instrumento para fins materiais e nada pode provar quanto à liberdade do espírito. Não é necessário, de resto, que seja sem realidade o objeto onde encontramos a bela aparência; basta que o nosso juízo não se atenha a esta realidade, pois enquanto a ela se atém não é estético. Uma beleza feminina viva aprazer-nos-á num grau igual ou maior do que uma igualmente bela apenas pintada; na medida, contudo, em que nos apraz mais do que esta, não apraz mais como aparência autônoma, já não apraz como sentimento puramente estético, pois a este o que é vivo pode aprazer apenas como aparência e o real apenas como Ideia; é claro, porém, que se exige um grau incomparavelmente mais alto de bela cultura para sentir apenas a aparência pura no que é ele mesmo vivo do que para sentir falta de vida na aparência.

Quando encontramos a aparência sincera e autônoma em homens isolados ou em povos inteiros, podemos estar certos de encontrar espírito e gosto e demais excelências afins — vemos o Ideal reger a vida real, a honra triunfar sobre a propriedade, a reflexão sobre a fruição, o sonho de imortalidade sobre a existência. Apenas a voz pública será temida, e uma coroa de louros será mais honrosa que um vestido de púrpura. A aparência falsa e necessitada é refúgio apenas da impotência e da perversão, e tanto homens isolados como povos inteiros provam sua falta de valor moral e sua incapacidade estética quando "apoiam a realidade na aparência ou a aparência (estética) na realidade" — soluções que, aliás, andam juntas.

À pergunta: "Em que medida é admissível existir aparência no mundo moral?", a resposta deve ser sumária: na medida que a aparência for estética, isto é, uma aparência que não quer passar por realidade e tampouco quer que esta a substitua.[96] A aparência estética jamais pode tornar-se perigosa para a verdade dos costumes, e será fácil mostrar, nos casos em que se dê o inverso, não ter sido estética a aparência. Assim, por exemplo, apenas um estranho ao belo convívio tomará os cumprimentos de cortesia, que são uma forma universal, como sinais da inclinação pessoal, e se queixará da dissimulação, quando se sentir desiludido. Por outro lado, somente o ignorante do belo convívio usará da falsidade para ser cortês, da lisonja para agradar. Ao primeiro falta ainda senso para a autonomia da aparência; por isso é pela verdade que lhe confere sentido; ao segundo falta a realidade, daí querer substituí-la pela aparência.

Nada mais comum na boca de certos críticos triviais de nossa época do que a queixa de que toda a solidez desapareceu do mundo, e de que a essência é preterida em favor da aparência. Embora não me sinta autorizado a defender a época contra esta censura, a própria extensão que os severos juízes atribuem à sua queixa revela que lamentam com a falsa aparência também a sincera; e mesmo as exceções que fazem à beleza dizem respeito mais à aparência dependente que à autônoma. Não atacam apenas o verniz enganoso que oculta a verdade e pretende substituir a realidade; desprezam também a aparência benfazeja que preenche os vazios e recobre a indigência — a aparência ideal que enobrece a realidade comum. A falsidade dos costumes ofende-lhes com razão o severo senso da verdade; pena, contudo, contar entre a falsidade também a cortesia. Desagrada-lhes ver o mérito verdadeiro ofuscado pelo falso brilho; mas irrita-os, igualmente, que se exija também do mérito a aparência, do conteúdo interior a forma agradável. Sentem nostalgia da cordialidade, da autenticidade e da solidez dos tempos passados, mas querem recuperar também o rude e o grosseiro dos primeiros costumes, o tosco das velhas formas, o excesso gótico de outrora. Através de juízos desta espécie revelam um respeito pela *matéria em si mesma* que não é digna da humanidade, que deve apenas estimá-la na medida em que toma forma e é capaz de ampliar o reino das Ideias. Tais vozes, portanto, não devem ser muito ouvidas pelo gosto do século, caso seja capaz de responder a uma instância melhor. Um juiz rigorista[97] da beleza não nos censurará de valorizarmos a aparência estética (pois nem de longe o fazemos suficientemente), mas de não termos ainda alcançado a pura aparência, de não termos chegado à distinção necessária entre a existência e a aparência que para sempre assegurasse o limite entre as duas. Mereceremos esta censura enquanto não pudermos fruir o belo da natureza viva sem cobiçá-la, enquanto não pudermos admirar o belo da arte mimética sem perguntar por seu fim — enquanto não concedermos uma legislação própria e absoluta à imaginação, enquanto não a dignificarmos pelo respeito às suas obras.

CARTA XXVII

Não temais pela realidade e verdade, caso o alto conceito de aparência estética que expus na carta anterior devesse generalizar-se. Ele não se generalizará, enquanto o homem ainda for inculto o suficiente para poder fazer dele algum abuso; e se se generalizasse, isso só poderia se dar por meio de uma cultura que ao mesmo tempo tornaria impossível todo abuso. O empenho por uma aparência autônoma exige mais faculdade de abstração, mais liberdade do coração, mais energia da vontade do que aquela necessária ao homem para limitar-se à realidade, e precisa já ter deixado esta para trás, se quer alcançar aquela. Por isso, que mau conselho seguiria se decidisse trilhar o caminho do Ideal para poupar-se o da realidade! Não temos, pois, de preocupar--nos demais com a realidade por causa da aparência, tal como a tomamos aqui; tanto mais, contudo, poderíamos temer pela aparência por causa da realidade. Acorrentado ao material, o homem faz com que a aparência sirva por longo tempo a seus fins, antes de conceder-lhe personalidade própria na arte do Ideal. Para isso é necessário uma revolução total em toda a sua maneira de sentir, sem o que nem sequer se encontraria *a caminho* do Ideal. Onde, portanto, encontramos os indícios de uma apreciação desinteressada e livre[98] da pura aparência, podemos suspeitar essa reviravolta em sua natureza e o verdadeiro início da humanidade. Encontramos indícios dessa espécie já em suas primeiras e toscas tentativas de *embelezamento* de sua existência, mesmo com risco de prejudicar o conteúdo sensível. Tão logo comece a preferir a forma à matéria e postergue a realidade em favor da aparência (que, contudo, tem de reconhecer como tal), seu círculo animal se abre, e ele se encontra numa via que não termina.

Insatisfeito apenas com o que basta à natureza e com aquilo que a necessidade exige, ele procura abundância; a princípio apenas abundância *de matéria*, para ocultar à avidez os seus limites, para assegurar a fruição para além da necessidade presente; logo a seguir, contudo, abundância *na matéria*, uma suplementação estética para satisfazer também o impulso formal, para ampliar a fruição além de qualquer necessidade. Enquanto apenas acumula reservas para uso futuro e antecipa o seu gozo na imaginação, ele ultrapassa, é bem verdade, o momento presente, mas não ultrapassa o tempo em geral; frui *mais*, porém *não de outra maneira*. Quando, entretanto, incorporar a forma a sua fruição, atentando para as formas dos objetos que lhe satisfazem os desejos, ele terá não só aumentado sua fruição em extensão e grau, mas a terá também enobrecido segundo a espécie.

Mesmo ao irracional a natureza deu mais que a simples privação, lançando na obscura vida animal uma centelha de liberdade. Quando o leão não sente fome e não há outra fera a desafiá-lo, a força ociosa cria um objeto; o bramido cheio de ânimo ecoa no deserto, e, num dispêndio sem finalidade, a força vigorosa compraz-se em si mesma. O inseto volteia ao sol com feliz vitalidade, e seguramente não será um grito de necessidade o que ouvimos na melodia do pássaro canoro. É inegável a liberdade nesses movimentos; não é, entretanto, absoluta, mas apenas com relação a uma necessidade determinada e exterior. O animal *trabalha* quando uma privação é o móbil de sua atividade e *joga* quando a profusão de força é este móbil, quando a vida abundante instiga-se à atividade. Mesmo na natureza inanimada encontramos um tal luxo das forças e uma tal variedade de determinações, que poderiam ser chamadas de jogo no sentido material. São inúmeras, numa árvore, as mudas que irão murchar inúteis; as raízes, os ramos e as folhas são em número muito maior que o necessário à preservação do indivíduo e da espécie. O que a árvore por plenitude perdulária devolve, sem ter usado ou fruído, ao reino dos elementos, poderá ser dissipado pelos viventes em alegre movimento. Assim a natureza dá-nos, já em seu reino material, um prelúdio do ilimitado, e suprime *em parte* já aqui as correntes de que se libertará por completo no reino da forma. A passagem da coerção da necessidade ou da *seriedade física* para o jogo estético faz-se pela coerção da abundância ou do *jogo físico*, e, antes de superar as cadeias de toda a finalidade na alta liberdade da beleza, a natureza já se aproxima desta independência, ao menos longinquamente, no *livre movimento* que é fim e meio de si próprio.

Assim como os mecanismos do corpo, também a imaginação do homem tem seu livre movimento e seu jogo material, em que ela se alegra com seu próprio poder e independência, sem nenhuma referência à forma. Enquanto a forma não se tiver ainda misturado, em nada, a esses jogos da fantasia e uma livre sequência de imagens não perfizer todo o encanto dos mesmos, eles pertencerão, ainda que só possam ser atribuídos ao homem, meramente à sua vida animal e comprovarão sua mera libertação em face de toda coerção exterior sensível, sem demonstrar, contudo, uma força criadora espontânea.* Desse jogo da *livre sequência das ideias*, de natureza ainda inteiramente material e explicado por meras leis naturais, a imaginação dá o salto em direção do jogo estético, na busca de *uma forma livre*. Tem-se de chamá-lo salto, porque uma força totalmente nova se põe em ação aqui; o espírito legislador intervém pela primeira vez nas ações do cego instinto; submete o procedimento arbitrário da imaginação à sua unidade eterna e imutável, coloca sua espontaneidade no que é mutável e sua infinitude no que é sensível. Enquanto, contudo, a rude natureza for demasiado poderosa conhecendo outra lei senão a da modificação pela modificação, ela resistirá àquela necessidade por seu arbítrio inconstante; à constância, por sua inquietação; à autonomia, por sua carência; à sublime simplicidade, por sua voracidade. O impulso estético para o jogo, portanto, mal será reconhecido em seus primeiros passos, já que será constante a intervenção do impulso sensível, de sua teimosia e avidez selvagem. Daí vermos o gosto rude a avançar primeiro ao que é novo e surpreendente, multicor, aventuroso e bizarro, intenso e selvagem, e a fugir mais que tudo da simplicidade e do

---

* A maioria dos jogos correntes na vida cotidiana ou repousa por inteiro nesse sentimento da livre sequencia das ideias, ou dele toma, pelo menos, seu maior encanto. Embora não prove, por si só, uma natureza superior, e embora sejam as almas mais brandas justamente as que costumam entregar-se ao livre fluxo das imagens, esta independência da fantasia em face das impressões exteriores é, ao menos, a condição negativa de sua faculdade criadora. Somente ao libertar-se da realidade, a força criadora pode atingir o Ideal; para que possa agir segundo suas próprias leis em sua qualidade produtiva, a imaginação deverá ter-se libertado das leis estranhas durante sua atividade reprodutiva. É claro que da ausência de leis até a legislação interna e autônoma vai um grande passo, que implica uma nova força, a faculdade das Ideias — mas esta força irá desenvolver-se agora com mais facilidade, já que os sentidos não atuam contrariamente a ela e já que a indeterminação é limítrofe, ao menos negativamente, da infinitude.

repouso. Cria figuras grotescas, aprecia as passagens bruscas, as formas opulentas, os contrastes gritantes, as luzes ofuscantes, o canto patético. Neste período só é belo para ele o que o excita, o que lhe dá matéria — o que excita com vistas à resistência espontânea, o que dá matéria a *uma criação possível*, pois não fosse assim não pareceria belo nem mesmo a ele. Com a forma de seus juízos ocorreu, portanto, uma notável modificação; ele não procura os objetos para que o afetem, mas para que lhe deem sobre o que agir; não aprazem por satisfazer uma carência, mas porque respondem a uma lei que, embora ainda em sussurro, fala já em seu coração.

Em breve, ele já não se satisfaz com o fato de os objetos lhe aprazerem; ele mesmo quer aprazer; a princípio, somente pelo que é *seu*, e finalmente pelo que *ele* é. O que ele possui e produz já não pode trazer em si apenas os traços da subserviência, a forma tímida de seu fim; deve, além da função para que existe, espelhar também o entendimento criativo que o pensou, a mão amorosa que o realizou, o espírito sereno e livre que o escolheu e propôs. O velho germano escolhe agora peles mais lustrosas, adornos mais pomposos, copos de chifres mais finos e o caledônio procura as conchas mais bonitas para suas festas. Mesmo as armas deixam de ser meros objetos do temor, passam a sê-lo também da satisfação, e a bainha trabalhada não chama atenção menor que a lâmina fatal da espada. Não satisfeito em acrescentar abundância estética à necessidade, o impulso lúdico mais livre desprende-se enfim por completo das amarras da privação, e o belo torna-se, por si mesmo, objeto de seu empenho. *Enfeita-se*. O prazer livre entra no rol de suas necessidades, e o desnecessário logo se torna a melhor parte de sua alegria.

Assim como a forma dele se aproxima um pouco pelo exterior, isto é, em sua habitação, em seus utensílios domésticos, em sua vestimenta, do mesmo modo ela começa a tomar posse dele mesmo, transformando de início apenas o homem externo, mas por fim também o interno. O salto desregrado da alegria torna-se dança, o gesto informe torna-se movimento gracioso e harmônico; os sons desordenados do sentimento desdobram--se, obedecem ao compasso e ordenam-se em canto. Enquanto o exército troiano vai à luta aos gritos qual um bando de gralhas estridentes, o grego avança em silêncio, com nobre porte. Naquele vemos apenas o excesso de forças cegas, neste a vitória da forma e a majestade simples da lei.

Uma necessidade mais bela junge agora os sexos, e a participação dos corações ajuda a conservar a união que o desejo selou de modo apenas variável e inconstante. Livre da venda escura, o olho mais tranquilo apreende a forma, a alma vê a alma e da permuta egoísta de prazer surge a troca generosa de inclinação. O desejo amplia-se e eleva-se a amor, quando a humanidade aparece em seu objeto, e a superioridade vulgar dos sentidos é desprezada, para que se lute por uma vitória mais nobre sobre a vontade. A necessidade de agradar submete o poderoso ao delicado tribunal do gosto; ele pode roubar prazer, mas o amor tem de ser uma dádiva, e só pode conquistar este prêmio mais alto mediante a forma, nunca mediante a matéria. É preciso que ele pare de comover o sentimento como uma força e de pôr-se diante do entendimento como fenômeno: tem de conceder liberdade, porque quer aprazer à liberdade. Assim como a beleza resolve o conflito das naturezas em seu exemplo mais simples e puro, na eterna oposição dos sexos, assim também resolve-o, ou a isso visa, no todo intrincado da sociedade, conciliando suavidade e violência no mundo moral segundo o modelo da livre aliança que une a força viril e a brandura feminina. A fraqueza torna-se sagrada e a força indomada desonra; a injustiça natural é corrigida pela generosidade dos costumes cavalheirescos. O casto rubor desarma aquele a quem nenhuma violência pode intimidar, e lágrimas sufocam a vingança que sangue algum poderia apagar. Mesmo o ódio ouve atento a voz delicada da honra, a espada do vencedor poupa o adversário desarmado, e o fogareiro acolhedor aquece o estranho na costa temida, em que outrora apenas morte o acolheria.

Em meio ao reino terrível das forças e ao sagrado reino das leis, o impulso estético ergue imperceptivelmente um terceiro reino, alegre, de jogo e aparência, em que desprende o homem de todas as amarras das circunstâncias, libertando-o de toda a coerção moral ou física.

Se no Estado *dinâmico* dos direitos o homem encontra o homem e limita o seu agir como força — se no Estado *ético* dos deveres enfrenta o homem com a majestade da lei e prende seu querer, no círculo do belo convívio, no Estado *estético*, ele pode aparecer-lhe somente como forma, e estar diante dele apenas como objeto do livre jogo. *Dar liberdade através da liberdade*[99] é a lei fundamental desse reino.

O Estado dinâmico só pode tornar a sociedade possível à medida que doma a natureza por meio da natureza; o Estado ético pode apenas torná-la (moralmente) necessária, submetendo a vontade individual à geral; somente o Estado estético pode torná-la real, pois executa a vontade do todo mediante a natureza do indivíduo. Se já a necessidade constrange o homem à sociedade e a razão nele implanta princípios sociais, é somente a beleza que pode dar-lhe um *caráter sociável*. Somente o gosto permite harmonia na sociedade, pois institui harmonia no indivíduo. Todas as outras formas de representação dividem o homem, pois fundam-se exclusivamente na parte sensível ou na parte espiritual; somente a representação bela faz dele um todo, porque suas duas naturezas têm de estar de acordo. Todas as outras formas de comunicação dividem a sociedade, pois relacionam-se exclusivamente com a receptividade ou com a habilidade privada de seus membros isolados e, portanto, com o que distingue o homem do homem; somente a bela comunicação unifica a sociedade, pois refere-se ao que é comum. Fruímos as alegrias dos sentidos apenas como indivíduos, sem que delas participe a espécie que habita em nós. Não podemos, portanto, ampliar nossas alegrias sensíveis a alegrias universais, porque não podemos tornar nosso indivíduo universal. Fruímos as alegrias do conhecimento apenas como espécie e à medida que em nosso juízo afastamos cuidadosamente todo vestígio do indivíduo; não podemos, portanto, tomar universais as alegrias de nossa razão, pois não é possível excluir os vestígios individuais do juízo dos outros como podemos fazê-lo em nosso próprio. Somente a beleza fruímos a um tempo como indivíduo e como espécie, isto é, como *representantes* da espécie.[100] O bem sensível faz feliz a *um*, já que está fundado numa apropriação que implica exclusão; e não o fará mais que parcialmente feliz, pois a personalidade não estará participando. O bem absoluto só pode trazer felicidade sob condições que não podem ser pressupostas

134

em geral; pois a verdade é o prêmio da renúncia, e somente um coração puro acredita na pura vontade. Só a beleza faz feliz a todo mundo; e todos os seres experimentam sua magia e todos esquecem a limitação própria.

Na medida em que o gosto reina e o reino da bela aparência se amplia, impedem-se quaisquer privilégios ou mesmo domínios exclusivos. Este reino se estende superiormente até onde a razão domina com necessidade incondicional e a matéria cessa; inferiormente até onde o impulso natural governa com constrangimento, e a forma ainda não surgiu; mesmo nestes limites extremos, em que o gosto perde o poder legislativo, não deixa ele que lhe escape o poder de execução. O desejo insocial é forçado a deixar de lado o egoísmo, e o agradável, que comumente atrai apenas os sentidos, estende as malhas da graça por sobre os espíritos. A voz severa da necessidade, o dever, tem de modificar o tom condenatório, justificado somente pela resistência, e honrar a dócil natureza com uma confiança mais nobre. O gosto conduz conhecimento para fora dos mistérios da ciência e o traz para céu aberto do senso comum, transformando a propriedade das escolas em bem comum de toda a sociedade humana. Em seu domínio, mesmo o gênio poderoso tem de abrir mão de sua majestade e descer, com gesto familiar, até o senso infantil. A força deixa-se prender pelas deusas das dádivas, o leão altivo obedece às rédeas do Amor. Em troca, o gosto recobre com seu véu suavizante a carência física, ofensiva em sua nudez à dignidade de espíritos livres, ocultando na amável ilusão da liberdade o parentesco desonroso com a matéria. Em suas asas, mesmo a arte degradada pelo ganho escapa ao pó, as correntes da servidão partem-se ao contato de sua vara mágica, liberando tanto o vivo como o inerte. No Estado estético, todos — mesmo o que é instrumento servil — são cidadãos livres que têm os mesmos direitos que o mais nobre, e o entendimento, que submete violentamente a massa dócil a seus fins, tem aqui de pedir-lhe o assentimento. No reino da aparência estética, portanto, realiza-se o Ideal da igualdade, que o fanático tanto amaria ver realizado também em essência; e se é verdade que o belo tom madura mais cedo e com maior perfeição próximo ao trono, seria preciso reconhecer também aqui a bondosa providência, que por vezes parece limitar o homem na realidade somente para impeli-lo a um mundo ideal.

Existe, entretanto, tal Estado da bela aparência, e onde encontrá-lo? Como carência, ele existe em todas as almas de disposição refinada; quanto aos fatos, iremos encontrá-lo, assim como a pura igreja e a pura república, somente em alguns poucos círculos eleitos, onde não é a parva imitação de costumes alheios, mas a natureza bela e própria que governa o comportamento, onde o homem enfrenta as mais intrincadas situações com simplicidade audaz e inocência tranquila, não necessitando ofender a liberdade alheia para afirmar a sua, nem desprezar a dignidade para mostrar graça.

NOTAS

[1] A epígrafe, extraída do romance *Julie ou La Nouvelle Heloise* (III, 7) de Rousseau, só aparece na primeira versão publicada na revista *Horen*. Seguia-se, então, a observação: "Estas cartas foram realmente escritas. A quem? Isso não muda em nada a questão, e a seu tempo talvez o leitor venha a sabê-lo. Como se achou necessário suprimir tudo o que nelas tivesse uma referência local, e não sendo possível colocar outra coisa no lugar, elas quase nada conservaram de sua forma epistolar além da divisão externa, uma inabilidade que era facilmente evitável, se se tomasse sua autenticidade com menos rigor".

[2] Nas *Cartas a Augustenburg*, Schiller afirma (03/12/1793): "Confesso, desde logo, que penso de maneira inteiramente *kantiana* no ponto principal da doutrina dos costumes. Acredito, com efeito, e estou convencido de que só são chamadas *éticas* aquelas nossas ações a que nos determina meramente o respeito à lei da razão, e não motivos, por mais refinados que estes sejam e imponentes os nomes que tenham. Admito com os moralistas mais rígidos que a virtude tem de residir em si mesma e não deve ser referida a nenhum fim diferente dela. Bom é (segundo os princípios kantianos, aos quais, neste aspecto, endosso plenamente) aquilo que ocorre porque é bom" (ed. cit., p. 73).

[3] *Arte (Kunst)*: aqui, como em diversas passagens dos escritos estéticos de Schiller, no sentido de técnica (*techne*) ou artifício. É preciso distinguir entre arte e "bela arte", como Schiller faz numa carta a Körner de 03/02/1794: "Enquanto arte, a bela arte está sob regras *técnicas* que não podem ser confundidas com as regras *estéticas*" *(Schillers Briefe über die ästhetische Erziehung; p. 103)*.

[4] A passagem correspondente nas *Cartas a Augustenburg* (p. 37; veja--se também a introdução a este volume), diz: "A pureza rigorosa e a forma escolástica em que são apresentadas muitas proposições kantianas emprestam-lhes uma dureza e uma especificidade que são estranhas ao conteúdo e, despidas desse véu, aparecem como antigas exigências da razão comum. Observei amiúde que verdades filosóficas têm de ser encontradas em uma forma, e aplicadas e

difundidas em outra. A beleza de um edifício não se torna visível antes que se retirem os apetrechos do pedreiro e do carpinteiro, e que se derrubem os andaimes por trás dos quais está erigido. Quase todos os discípulos de Kant, porém, permitem que se lhes arrebate antes o espírito que a maquinaria de seu sistema e, precisamente por isso, põe à luz que se parecem mais com o trabalhador que com o mestre de obras".

[5] Nas *Cartas a Augustenburg* pode-se ler (ed. cit., p. 39): arte idealizante (*idealisierende Kunst*). O termo "Ideal" tem dois sentidos para Schiller: é uma Ideia inalcançável, uma tarefa imposta pela razão; mas é também um modelo, tal como os gregos representam um modelo (um Ideal) para os artistas modernos. Diante destes dois aspectos, é importante lembrar a distinção de Kant entre Ideia e Ideal: "Ideia significa propriamente um conceito da razão, e *Ideal* a representação de um ser singular como adequado a essa Ideia" *(Crítica do Juízo*, Analítica do Belo, § 17. São Paulo, Abril, 1980, 2. ed., p. 231. Tradução de Rubens Rodrigues Torres Filho).

[6] Esta frase, como ressaltam frequentemente os comentadores, parece estar em contradição com muitas outras passagens do texto. Compare-se, a título de exemplo, o trecho dessa mesma Carta II, onde se diz que "é pela beleza que se vai à liberdade". O círculo que envolve a estética e a ética (ou política) nas *Cartas* foi desde logo assinalado por Fichte em seu ensaio *Über Geist und Buchstabe in der Philosophie. In einer Reihe von Briefe* (que, para preservar o tom paródico-polêmico, poder-se-ia verter assim: *O Espírito e a Letra na Filosofia. Numa Série de Cartas*), recusado por Schiller para a publicação na sua *Horen:* "As épocas e regiões da servidão são, portanto, ao mesmo tempo as da falta de gosto; e, se por um lado não é aconselhável deixar os homens livres antes que seu sentido estético esteja desenvolvido, por outro é impossível desenvolvê-lo antes que sejam livres; e a ideia de elevar os homens à dignidade da liberdade e, com ela, à liberdade mesma mediante educação estética põe-nos num círculo, se antes não encontrarmos um meio de despertar em indivíduos da grande massa a coragem de não serem nem senhores nem escravos de ninguém". Johann Gottlieb Fichte, *Sämtliche Werke.* Berlim, Walter de Gruyter, 1965. V. VI, Seção III: *Populärphilosophische Schriften*, pp. 286-287.

[7] A referência mais pontual é a Revolução Francesa, com cujos rumos Schiller (que fora homenageado com o título de "citoyen français"

pela Convenção em 1792) se desiludira após a execução de Luís XVI, em 21 de fevereiro de 1793. Nas *Cartas a Augustenburg,* a passagem correspondente diz (ed. cit., p. 39): "Mas agora é principalmente a criação política que ocupa quase todos os espíritos. Os acontecimentos neste último decênio do século XVIII são não menos desafiadores e importantes para os filósofos que para o *homem de mundo* ativo, e Vossa Majestade poderia esperar, com redobrada razão, que eu tomasse essa matéria digna de atenção como objeto deste entretenimento escrito, a mim concedido com tanta generosidade e benevolência".

[8] "Pensa por si mesmo" (*Selbstdenker*) é o conceito usado por Kant para designar o "ilustrado", não mais subjugado à minoridade intelectual.

[9] Veja-se sobre esta questão a nota 6.

[10] A ideia de retomar, pela razão, os princípios que norteiam o direito natural é, como se sabe, devida a Rousseau: "Do concurso e da combinação que nosso espírito seja capaz de fazer desses dois princípios /amor de si e piedade/ ... parecem-me decorrer todas as regras do direito natural, regras essas que a razão, depois, é forçada a restabelecer com outros fundamentos quando, por seus desenvolvimentos sucessivos, chega a ponto de sufocar a natureza". (*Discurso sobre a Origem e os Fundamentos da Desigualdade entre os Homens.* Prefácio. São Paulo: Abril, 1973, p. 237. Tradução de Lourdes Santos Machado. Coleção: Os Pensadores).

[11] A comparação entre as idades do homem e as idades da história no pensamento de Schiller provém de Herder (sobretudo em *Auch eine Philosophie der Geschichte zur Bildung der Menschheit,* de 1774, e em *Ideen zur Philosophie der Geschichte der Menschheit,* de 1784-1791). As fontes da concepção da história de Schiller (que foi professor de história em Jena) são as mais diversas e, sem dúvida, contraditórias: além de Herder e Rousseau pode-se contar também a filosofia da história de Kant, sobretudo a da *Ideia de uma História Universal de um Ponto de Vista Cosmopolita* (São Paulo: Brasiliense, 1986. Tradução de Rodrigo Naves e Ricardo Ribeiro Terra). Outra influência importante foi a de Fichte das *Preleções sobre a Destinação do Douto* (veja-se Carta IV, nota).

[12] A troca do estado de natureza, formado meramente na Ideia e não fornecido por nenhuma experiência (um estado que, segundo o autor

do *Discurso sobre a Desigualdade*, "não existe, que talvez nunca tenha existido, que provavelmente jamais existirá"), pelo estado civil mediante o pacto social é, como se sabe, desenvolvida por Rousseau, entre outras obras, no *Contrato Social*.

[13] Compare-se, a título de exemplo, esta passagem de *A Educação Estética* com a definição da vontade estabelecida por Kant na *Fundamentação da Metafísica dos Costumes* (A36/37): "Só um ser racional possui uma vontade ou a faculdade de agir *segundo a representação das leis*, isto é, segundo princípios. Uma vez que para a dedução das ações a partir de leis exige-se *razão*, a vontade não é nada mais senão razão prática. Se a razão determina incontornavelmente a vontade, as ações de um tal ser, que são reconhecidas como objetivamente necessárias, são também subjetivamente necessárias, isto é, a vontade é uma faculdade de escolher *apenas aquilo* que a razão, independentemente da inclinação, reconhece como necessário, isto é, como bom". Ao invés dessa "avaliação moral unilateral" , o que Schiller proporá, através dessa "faculdade de escolha", é uma vontade que não se identifique à razão, mas também leve em conta os sentimentos. Ou seja, é preciso vê-la a partir de uma "avaliação antropológica plena" (veja-se a seguir, p. 35 e nota 64).

[14] "A destinação última de todo ser racional finito", diz Fichte na primeira destas preleções, "é, pois, unidade absoluta, identidade contínua, concordância total consigo mesmo. Essa identidade absoluta é a forma do eu puro e a única forma verdadeira do mesmo; ou antes: a expressão daquela forma é *conhecida* na possibilidade de pensar a identidade. Porém, qual destinação possa ser pensada como eternamente duradoura, tal está de acordo com a forma pura do eu. Que não se entenda isso pela metade e unilateralmente. Não é meramente a vontade que deve estar em unidade consigo mesma — desta se fala apenas na doutrina dos costumes —, mas todas as forças dos homens, que em si são apenas uma força, sendo distintas meramente na aplicação a objetos diferentes, devem concordar numa identidade perfeita e harmonizar-se entre si" (*Sämtliche Werke*, v. VI, Seção III, p. 297). A ideia de que não apenas a vontade, mas todas as forças do homem devem estar em harmonia vem ao encontro da perspectiva "antropológica plena" buscada por Schiller, embora ele veja com reserva o fato de a "unidade absoluta" ser concebida na forma do eu puro.

[15] Schiller distingue aqui entre o artista mecânico e o artista do belo, tal como fizera entre arte (técnica) e bela arte. Veja-se nota 3, à p. 147.

[16] Ao submeter-se ao contrato social, a alienação de cada associado à comunidade é total e "em lugar da pessoa particular de cada contratante" surge "um corpo moral e coletivo" (*Do Contrato Social*, ed. cit., p. 39). Assim, "aquele que se recusar a obedecer à vontade geral a tanto será constrangido por todo um corpo, o que não significa senão que o forçarão a ser livre, pois essa é a condição que, entregando cada cidadão à pátria, o garante contra qualquer dependência pessoal" (Idem, p. 42).

[17] Nas *Cartas a Augustenburg* (ed. cit., p. 41), a referência é a Revolução Francesa: "A tentativa do povo francês de estabelecer-se em seus sagrados direitos humanos e de erigir uma liberdade política apenas pôs à luz sua incapacidade e falta de dignidade, lançando de novo na barbárie e na servidão não apenas um povo infeliz, mas com ele também uma parte considerável da Europa e todo um século. O momento era o mais propício, mas encontrou uma geração corrompida, que não estava à altura dele, e não soube dignificá-lo nem aproveitá-lo".

[18] Sobre esta questão, veja-se Rousseau: *Discurso sobre as Ciências e as Artes*. Sobre o termo "cultura" em Schiller, veja-se nota 24.

[19] Platão, *República*, livro VI, 491d.

[20] As fontes do helenismo de Schiller são principalmente Winckelmann (*Reflexões sobre a Imitação das Obras Gregas na Pintura e Escultura*, de 1755, e *História da Arte da Antiguidade*, de 1764) e Wilhelm von Humboldt (*Sobre o Estudo da Antiguidade e da Antiguidade Grega em Particular*). Sobre Herder, veja-se nota 11 e nota 94.

[21] "Espirituosidade" tenta, de algum modo, reproduzir a palavra alemã *Witz*. Na época, o vocábulo ainda não ganhara o sentido mais forte de "chiste", como se vê em Friedrich Schlegel e Novalis. Significa, antes, uma qualidade da alma, tal como define Joharm Christoph Gottsched, em 1734: "'Uma capacidade do entendimento de perceber as semelhanças entre as coisas" (*Primeiros Fundamentos de Toda a Sabedoria*, citado em *18. Jahrhundert - Texte und Zeugnisse*. Munique: Beck, 1983, vo. I, p. 291). Wolff, em quem Gottsched

se baseia, usa *Witz* para traduzir o termo latino *ingenium*. Além dessas referências, cabe lembrar ainda que a palavra *Witz* traduzia normalmente no século XVIII o que os franceses denominavam "bel esprit".

[22] Vênus Citereia: deusa do amor carnal; Vênus Urânia: deusa do amor espiritual.

[23] Nas *Cartas a Augustenburg* (ed. cit., p. 39), o trecho correspondente remete mais uma vez à Revolução Francesa: "Uma nação cheia de espírito e ânimo, considerada durante muito tempo como modelo, começou a deixar violentamente o seu estado de sociedade positiva e a retomar ao estado de natureza, da qual a razão é a legisladora absoluta e única".

[24] A cultura não é apenas meio, mas também fim. Essa ambiguidade, que tem embaraçado frequentemente os comentadores, foi observada já por Körner numa carta a Schiller: "No teu lugar, eu talvez tivesse escolhido o caminho seguinte. A educação estética é *fim* em si mesmo. Ela não carece de nenhuma recomendação enquanto *meio*. Contudo, mesmo como meio, ela tem seu valor para aquele que só tem em vista fins políticos" *(Schillers Briefe über die ästhetische Erziehung*; p. 112).

[25] A ideia de que do antagonismo das forças individuais se progride em direção à verdade lembra a concepção da "insociável sociabilidade" de Kant. Veja-se *Ideia para uma História Universal de um Ponto de Vista Cosmopolita*, ed. cit., Quarta Proposição: "O meio de que a natureza se serve para realizar o desenvolvimento de todas as suas disposições é o *antagonismo* das mesmas na sociedade, na medida em que ele se toma ao fim a causa de uma ordem regulada por leis desta sociedade".

[26] Na mitologia romana, Júpiter; na grega, Zeus, filho de Chronos, que assiste do monte Ida à guerra entre gregos e troianos *(Ilíada*, VIII).

[27] Aquiles.

[28] Esta frase, e todo o contexto, remete imediatamente ao famoso texto de Kant: *Respondendo à Pergunta: Que é Ilustração?*

[29] *Sapere aude*: ousa ser sábio! Dito de Horácio (*Epístolas,* I, 2, 40), que Kant utiliza e traduz em *Respondendo à Pergunta: Que é Ilustração?*:

"*Sapere aude!* Tem coragem de servir-te de teu *próprio* entendimento é, pois, o lema da Ilustração".

[30] Minerva.

[31] Pitágoras.

[32] O tema da *Aufklärung* via coração ou sentimento é explicitado nas *Cartas a Augustenburg* (pp. 44-45): "A necessidade mais urgente de nossa época parece-me ser o enobrecimento dos sentimentos e a perfeição ética da vontade, pois já se fez muito pela Ilustração do entendimento. Não nos falta tanto em relação ao conhecimento da verdade e do direito quanto em relação à eficácia desse conhecimento na determinação da vontade; não falta tanta *luz*, mas *calor*, nem tanta cultura filosófica, mas cultura estética".

[33] A arte e a ciência prendem-se ao que há de eterno e necessário na natureza humana, não ao que é arbitrário, contingente, "positivo" (no sentido de factual, histórico). Sobre esta questão, diz a passagem correspondente nas *Cartas a Augustenburg* (ed. cit., p. 45): "As leis da arte não são fundadas em formas mutáveis de um gosto de época contingente e amiúde totalmente degenerado, mas no que há de necessário e eterno na natureza humana, nas leis originárias do espírito".

[34] O filho de Agamêmnon: Orestes. Todo este parágrafo guarda os traços da carta que Schiller enviou a Goethe por ocasião do aniversário deste (23/08/1794).

[35] Alusão ao *Discurso sobre as Ciências e as Artes*, de Rousseau.

[36] Alusão à *República* de Platão.

[37] Os mesmos exemplos são arrolados nas *Cartas a Augustenburg* (ed. cit., p. 54). No lugar desta referência genérica às nações modernas podia-se, contudo, ler: "Permito-me lembrar ainda a Vossa Majestade o exemplo da França, que celebra a data de seu refinamento na mesma época de sua total submissão, e que na pessoa de seu décimo quarto Luís honra o restaurador do gosto, ao mesmo tempo em que execra o mais terrível opressor de sua liberdade".

[38] O desenvolvimento das reflexões das cartas XI a XVI não tem correspondência nas *Cartas a Augustenburg*. Schiller se refere ao

novo encaminhamento da questão numa carta a seu amigo Körner, datada de 29/12/1794: "Quanto aos meus trabalhos, sinto-me extraordinariamente satisfeito. Meu sistema está se aproximando de um amadurecimento e de uma consistência interna, que lhe asseguram solidez e durabilidade. Tudo se concatena da melhor maneira, e ao longo do todo reina uma simplicidade perceptível até para mim mesmo pela maior facilidade com que trabalho. Tudo gira em torno do conceito de ação recíproca entre o absoluto e o finito, dos conceitos de liberdade e de tempo, da capacidade de agir e padecer" *(Schillers Briefe über die ästhetische Erziehung*, p. 113). Remetendo a Körner o manuscrito das cartas XI a XVI, Schiller diz (05/01/1795): "A partir do que lerás agora, poderás prever e examinar todo o meu plano. Não nego que esteja bastante satisfeito com ele, pois jamais produzi em minha mente uma unidade que, como esta, sustente o sistema, e tenho de admitir que considero meus fundamentos insuperáveis" (p. 114).

[39] Sobre esta distinção entre pessoa e estado, veja-se o texto *Sobre Graça e Dignidade* (ed. cit., p. 444). Veja-se também Kant, *Crítica da Razão Prática*, A156.

[40] Esta afirmação lembra a famosa proposição de Fichte: *"Eu sou pura e simplesmente porque sou"* (*A Doutrina da Ciência de* 1794. São Paulo: Abril, 1980, 2. ed., p. 47. Tradução e notas de Rubens Rodrigues Torres Filho. Na edição de Immanuel H. Fichte, p. 98). Nas *Preleções sobre a Destinação do Douto* (p. 295), a fórmula diz: "Ele / o homem / é porque é".

[41] A referência mais importante para a noção de impulso em Schiller é Fichte (veja-se *A Doutrina da Ciência* de 1794, ed. cit., p. 154 e segs.; *Preleções sobre a Destinação do Douto*, pp. 307 e 324-325). Ao comentar a concepção schilleriana dos impulsos em seu ensaio O *Espírito e a Letra na Filosofia* (ed. cit., p. 279), Fichte ressalta um dado fundamental para ele que o autor de *A Educação Estética* não respeita em sua divisão: o impulso de conhecimento, diz, e "todos os outros impulsos e forças que ainda poderíamos chamar assim são meramente aplicações especiais da única força fundamental indivisível no homem, e é preciso cuidar zelosamente para não interpretar essas expressões neste ou em algum outro escrito filosófico senão desta maneira..." (p. 270). Mais adiante, Fichte acrescenta: "Segundo o rigor, todo impulso é prático, uma vez que impele à

espontaneidade, e neste sentido tudo no homem se funda no impulso prático, uma vez que nada é nele senão por espontaneidade" (p. 279).

[42] Este impulso sensível foi motivo de polêmica entre Schiller e Fichte. Na carta (de 24/06/1795) que envia a Fichte recusando o texto O *Espírito e a Letra na Filosofia* (veja-se nota 6 e 41), Schiller o censura, entre outras coisas, pelo fato de que "o impulso para existência ou matéria (o impulso sensível) não tem lugar no ensaio". É impossível, acrescenta, "pôr numa classe o impulso para a multiplicidade e o impulso para a unidade. Sem a mais violenta das operações, aquele não pode ser arrancado ao impulso prático, tal como o senhor o define". Fichte responde a esta censura nos seguintes termos: "Se à minha divisão dos impulsos nada falta senão o fato de que o impulso para a existência ou impulso material não faz parte dela, então ela está bem a salvo. Um impulso para a existência antes da existência; ou seja, uma determinação do não-ente!! Toda matéria surge, não por sua atividade, mas mediante limitação do que é espontâneo. (Uma outra coisa é a *exposição da matéria* na mente; esta pertence ao impulso de conhecimento). O impulso é *impulso* mediante limitação; sem ela, seria ação". In: *Fichte-Briefwechsel*. Hildesheim: Georg Olms, 1967, v. 1, cartas n. 243 e 244. Organizado por Hans Schulz.

[43] O objeto puro: o Bem ou a determinação moral de praticar o Bem.

[44] Esta afirmação de que um terceiro impulso fundamental é um conceito "impensável" parece contradizer todo o procedimento que se segue, à medida que se trata justamente de deduzir este terceiro impulso. Não se deve, porém, esquecer que Schiller o pensa enquanto Ideia, enquanto tarefa da razão, que o homem só pode realizar na plenitude de sua humanidade. Veja-se sobre este ponto, Carta XIV, p. 77 e nota 50.

[45] Trata-se da categoria kantiana de "ação recíproca". Já na reelaboração fichteana da "tábua transcendental", o conceito recebe o nome de "determinação recíproca". *A Doutrina da Ciência de 1794*, ed. cit., p. 67 (ed. orig., p. 131).

[46] A maioria dos comentadores afirma que este último parágrafo é uma alusão clara a Fichte. Sobre isso, veja-se notas 7, 41 e 42.

[47] Segundo Kant, um juízo teleológico não é constitutivo (determinante), mas apenas um princípio heurístico (reflexionante). Assim, o conceito de uma finalidade na natureza "não é posto no objeto, mas exclusivamente no sujeito, e aliás em sua mera faculdade de refletir" (*Primeira Introdução à Crítica do Juízo*, São Paulo: Abril, 1980, p. 179. Tradução de Rubens Rodrigues Torres Filho. Coleção: Os Pensadores). Essa diferença é importante, visto que o juízo estético aparenta-se com o teleológico no fato de que aquele, ainda segundo Kant, não põe constitutivamente o belo no objeto, mas apenas na reflexão que o objeto suscita. Um episódio narrado por Goethe ilustra bem a preocupação de Schiller em distinguir os juízos determinantes e reflexionantes (estéticos ou teleológicos) — episódio que, de resto, serve também para mostrar a diferença da concepção do *simbólico* entre Goethe e Schiller. Após uma reunião da sociedade dos cientistas naturais em Jena, Goethe acompanha Schiller até a casa deste: "Chegamos à sua residência, a conversa instigou-me a entrar; ali, expus animadamente a *Metamorfose das Plantas* e, com alguns traços característicos, fiz nascer uma planta simbólica ante seus olhos. Ele escutava e observava tudo com grande interesse, com decidida capacidade de compreensão; quando terminei, porém, ele sacudiu a cabeça e disse: isso não é uma experiência, é uma Ideia. Fiquei perplexo, e de certo modo aborrecido: pois o ponto que nos separava fora assinalado da forma a mais rigorosa" (Citado por Friedrich Burschell, in: *Schiller.* Berlim: Deutsche Buchgemeinschaft, 1970, p. 353).

[48] Eficácia (*Wirksamkeit*). O que está em questão é a noção de *causalidade* na ação recíproca entre os dois impulsos. Ou seja, um é *atuante, eficaz,* sobre o outro (que é *efeito* daquele) e vice-versa. Sobre isso, veja-se *A Doutrina da Ciência de 1794*, p. 70 (ed. orig., p. 136) e nota do tradutor sobre o conceito.

[49] Schiller apoia-se na noção de *tarefa infinita* da filosofia fichteana. A ação recíproca entre os dois impulsos fundamentais (cuja "resultante" será o impulso lúdico) é identificada à própria humanidade. Esta, porém, nunca é alcançada em toda a sua plenitude, mas só por aproximação. Veja-se Fichte, *A Doutrina da Ciência de 1794*, p. 58 (ed. orig., p. 115). Na primeira "preleção" de 1794, chamada "Sobre a Destinação do Homem em Si", se diz: "Está no conceito do homem que sua meta última tem de ser inatingível, que seu caminho para a mesma tem de ser infinito. Por conseguinte, não é a destinação do homem atingir essa meta. Contudo, ele pode e deve

aproximar-se sempre mais dessa meta; e, por isso, *a aproximação ao infinito dessa meta* é a sua verdadeira destinação enquanto *homem,* isto é, enquanto ser racional, mas finito, e enquanto ser sensível, mas livre" (p. 300).

[50] Se tais casos ocorressem haveria um novo impulso. Na Carta XIII, afirmou-se que um terceiro impulso fundamental seria um "conceito impensável". Sobre isso, veja-se também nota 44.

[51] *Forma* traduz aqui a palavra alemã *Gestalt* (também figura, configuração). Deve-se atentar no fato de que, na tradução, o mesmo vocábulo em português serve para verter dois termos em alemão: *Gestalt* e *Form.*

[52] O impulso lúdico ideal e a humanidade plena identificam-se. Ambos, porém, são postos como um *dever ser,* como uma tarefa da razão a ser cumprida. Sobre esta questão, veja-se a nota 49 e a introdução a este volume.

[53] Edmund Burke (1721-1797), filósofo sensualista inglês, é referência importante para as reflexões estéticas na Alemanha do século XVIII. Veja-se, por exemplo, o ensaio pré-crítico de Kant: *Observações acerca do Sentimento do Belo e do Sublime* (1764). A obra citada por Schiller (publicada em 1756) foi traduzida para o alemão por seu amigo Christian Garve, em 1773.

[54] Raphael Mengs: *Pensamentos sobre a Beleza e o Gosto na Pintura,* livro publicado em 1762, em Zurique.

[55] O "adversário líbio ": o leão.

[56] Sobre a identificação entre o impulso lúdico e a humanidade, veja-se notas 49 e 52, e também a introdução a este volume. A ideia da contemplação estética como "livre jogo" (jogo entre a imaginação e o entendimento; livre, porque não sujeito a regras ou conceitos) foi apresentada por Kant na *Crítica do Juízo.* Schiller, como se vê, radicaliza essa ideia, entendendo o impulso lúdico como um jogo entre as capacidades racionais e sensíveis do homem, e a ausência de regras ou conceitos como uma verdadeira "liberdade humana".

[57] Esta Juno Ludovisi fazia parte da famosa coleção de peças da Antiguidade de Mannheim.

[58] Alguns comentadores apontam que Schiller só tratou da primeira questão. Com efeito, na primeira publicação das cartas XVII a XXVII (revista *Horen*, n. 6), Schiller deu a esta parte o título seguinte: "Sobre a Beleza Suavizante. Continuação das Cartas sobre *A Educação Estética do Homem*". Também com plausibilidade aponta-se que a beleza suavizante corresponderia ao "belo" e a beleza enérgica ao "sublime". Esta explicação é de certa forma corroborada pela passagem das *Cartas a Augustenburg*, onde se diz: "Tenho, portanto, de justificar a dupla afirmação: *em primeiro lugar*: que é o belo que refina o filho rude da natureza e ajuda a elevar o homem meramente sensual a um homem racional; *em segundo lugar*: que é o sublime que aprimora as desvantagens da bela educação, proporciona elasticidade ao homem refinado pela arte e unifica as virtudes da selvageria com as vantagens do refinamento" (p. 57).

[59] A ideia de "fio condutor", por meio da qual Kant procede à dedução dos conceitos, está presente aqui. Na Carta XVIII, apresenta-se o problema de como o conceito de um estado intermediário pode ligar aquilo que nos vem pela experiência e aquilo que pertence à razão. Esta "dedução" será desenvolvida nas cartas XIX a XXIII, que, segundo Schiller numa carta a Fichte (na edição Schulz sob n. 249), representam "o nervo da questão".

[60] Schiller diferencia sua posição tanto da estética sensualista dos ingleses (por exemplo, a de Burke) como da estética racionalista (por exemplo, a de Baumgarten).

[61] "Formas *a priori* da intuição", espaço e tempo são também definidos por Kant na "Estética Transcendental" (*Crítica da Razão Pura*, Doutrina Transcendental dos Elementos, Primeira Parte) como representações de *magnitudes infinitas*. É mediante a delimitação ou divisão dessas grandezas que se obtêm medidas de espaço ou tempo.

[62] Depois de fazer uso de diversos conceitos fichteanos (determinabilidade, negação, posição, oposição etc.), Schiller apropria-se agora do conceito de "estado-de-ação" (*Tathandlung*). Este é, para Fichte, o primeiro princípio absolutamente incondicionado de todo o saber, "que não aparece nem pode aparecer entre as determinações empíricas de nossa consciência, mas que, muito pelo contrário, está no fundamento de toda consciência e é o único que a torna possível" *(A Doutrina da Ciência de 1794*, ed. cit., p. 43. Para a tradução

de *Tathandlung*, vocábulo forjado por Fichte, por "estado-de-ação", veja-se a nota de Rubens Rodrigues Torres Filho).

[63] Schiller trabalha aqui com um dos temas fundamentais da filosofia crítica: o da tensão entre finitude e infinitude no "espírito finito" e a relação com os limites de possibilidade da experiência. É interessante notar que todo este trecho (a partir do início do parágrafo) foi citado por Kant, sem indicação de fonte, no *opus postumum*: "Übergang von den metaphysischen Anfangsgründen der Naturwissenschaften zur Physik" (Akademie-Ausgabe, v. XXI, p.76).

[64] Esta passagem é importante para compreender o significado da "liberdade estética" em Schiller. Veja-se mais adiante, p. 103 (nota), a distinção entre as duas liberdades: uma que se funda na natureza racional e outra, na "natureza mista" do homem.
O duplo constrangimento (ação recíproca) suprime a si mesmo, e a vontade afirma uma liberdade perfeita entre os dois impulsos. Quanto ao conceito de vontade, pode-se afirmar que muitas vezes ele é usado em seu sentido kantiano, enquanto vontade universalmente legisladora identificada à razão prática (veja-se nota 13). Há passagens, por outro lado, em que o termo *Wille* (vontade) ou *freier Wille* (vontade livre) pode exprimir a "faculdade de escolha", vale dizer, o livre-arbítrio, como é o caso aqui.
A partir dessa definição da vontade humana (não confundir com a "vontade santa") como plenamente livre entre dever e inclinação, passa-se à concepção de que o que caracteriza o homem é justamente a vontade. No ensaio *Sobre o Sublime* (ed. cit., p. 792), a vontade, e não a razão, é a marca distintiva do ser humano: "A vontade é o caráter genérico do homem, e a própria razão é apenas a regra eterna da mesma. Toda a natureza age racionalmente; a prerrogativa do homem é apenas a de que ele age racionalmente com consciência e vontade". E mais diante: "A cultura deve pôr o homem em liberdade e auxiliá-lo a preencher todo o seu conceito. Ela deve, pois, torná-lo capaz de afirmar sua vontade, porque o homem é o ser que quer" (p. 793).
Além disso, por uma projeção "antropomórfica", os próprios seres inanimados são dotados de vontade (ou de autonomia): "Tudo numa paisagem deve ser referido ao todo, e no entanto todo particular deve parecer estar sob sua própria regra, deve parecer seguir sua própria vontade" (*Kallias*, ed. cit., p. 422).

[65] Sobre esta distinção, veja-se a nota anterior e a apresentação a este volume.

[66] Prioridade, no sentido de precedência. A história da "liberdade humana" inicia-se com a sensibilidade.

[67] Sobre isso, diz Schiller numa carta a Christian Garve (25/0111795): "Tanto quanto sei, nossa língua não tem nenhuma palavra que designe a referência de um objeto a nossa sensibilidade mais fina, já que belo, sublime, agradável são meras espécies dela. Ora, visto que as expressões moral ou físico são empregadas sem hesitação para a educação, e que, através desses dois conceitos, ainda não se exprime de forma alguma aquela espécie de educação que se ocupa da formação da sensibilidade mais fina, considerei lícito, e mesmo necessário, falar de uma educação estética" (*Schillers Briefe über die ästhetische Erziehung*; p. 117).

[68] Schiller parece querer dizer que, nos juízos estéticos, o belo é representado como objeto de uma satisfação sem mediação de nenhum conceito. Veja-se sobre isso: Kant, *Crítica do Juízo*, §6.

[69] Trata-se, na realidade, do início da Carta XIX.

[70] Sobre a impossibilidade de um juízo estético puro na experiência, veja-se a apresentação a este volume.

[71] Assim como o belo é considerado um outra natureza criadora (Carta XXI, p. 109) o artista é também um segundo Criador. A concepção do gênio como um *alter deus*, que se pode notar em boa parte dos textos estéticos do século XVIII, provém, segundo E. Cassirer, de Shaftesbury. Cf. Cassirer, *Die Philosophie der Äufklärung*, Tübingen, Mohr, 1973.

[72] Em seu ensaio *Sobre o Patético*, Schiller afirma: "A exposição da paixão — enquanto mera paixão — não é jamais fim da arte, embora seja extremamente importante para ela como meio para seu fim. O fim último da arte é a exposição do suprassensível, e especialmente a arte trágica realiza isso por tornar-nos sensível, no estado do afeto, a independência moral em relação às leis naturais" (ed. cit., p. 512).

[73] Messíada é um gênero de epopeia religiosa que, como diz o nome, trata da vida e paixão de Cristo. A referência, aqui, é sem dúvida a obra O *Messias*, de Klopstock (1724-1803), lido por toda a geração pré-romântica alemã.

[74] Anacreôntico: refere-se não apenas ao poeta grego Anacreonte (560-478 a.C.), mas também a seus imitadores.

[75] Catulo (Gaius Vallerius Cattulus), lírico romano (84-54 a.C.).

[76] Carta XXII.

[77] Schiller retoma aqui a ideia central do *Kallias*: "Beleza nada mais é que liberdade no fenômeno". Mas vale a advertência que já se encontra ali: "Não obstante, visto que a liberdade é meramente emprestada ao objeto pela razão, *uma vez que nada pode ser livre senão o suprassensível e que a liberdade como tal jamais desce aos* sentidos — em suma, uma vez que aqui importa meramente o fato de que um objeto pareça livre (*frei erscheinet*), não que realmente o seja, essa analogia de um objeto com a forma da razão prática não é liberdade de fato, mas meramente *liberdade no fenômeno, autonomia no fenômeno*" (ed. cit., p. 400).
Um outro aspecto importante a notar é a ambiguidade contida no termo *Erscheinung* (traduzido aqui, como normalmente nos textos de Kant, por fenômeno): o objeto *parece livre* (*frei erscheine*), embora de fato não o seja. Poder-se-ia assim traduzir, sem falsear, a expressão schilleriana da seguinte maneira: "Beleza nada mais é que liberdade na *aparência*".

[78] O filósofo moral: Kant.

[79] Nobre e sublime. Com esse par de conceitos tem-se em vista duas questões importantes da estética do século XVIII: o belo e o sublime. Para Schiller, que escreveu dois ensaios sobre o sublime, este deveria servir como complemento e correção à educação estética pelo belo (como se pode ver na nota 58), sendo um sentimento ligado à dignidade moral e à razão humana: "Sentimo-nos livres na beleza, porque os impulsos sensíveis harmonizam-se com a lei da razão; sentimo-nos livres no sublime, porque os impulsos sensíveis não têm nenhuma influência sobre a legislação da razão, porque o espírito age aqui como se não estivesse senão sob suas próprias leis" *(Sobre o Sublime,* ed. cit., p. 796).

[80] Sobre a relação da estética com a ética, veja-se a introdução a este volume.

[81] Prazer livre: Schiller refere-se ao "prazer desinteressado e livre" suscitado pelo belo. (Cf. Kant, *Crítica do Juízo*, Analítica do Belo, §2: "A satisfação que determina o juízo de gosto é sem nenhum interesse".)

[82] "É certo que o poderoso torso dos titãs / E as entranhas vigorosas sejam... / Sua verdadeira herança; forjou-lhe no entanto / O Deus um liame brônzeo, envolvendo sua face; / Ponderação, calma e paciência e saber / Ocultou-lhe ao olhar esquivo, sombrio. / Todo desejo torna-se nele furor / E seu furor erra, sem fronteira, pelo mundo." Goethe, *Ifigênia em Táuride*, ato I, III cena (citado livremente por Schiller).

[83] Na Carta XXV, Schiller dirá que "a contemplação (reflexão) é a primeira relação liberal do homem com o mundo que o circunda". O tema da reflexão nos estudos estéticos de Schiller tem duas fontes. Para Rousseau, o homem que reflete já deixou, por assim dizer, sua "maneira simples, uniforme e solitária de viver prescrita pela natureza" (*Discurso sobre a Origem e os Fundamentos da Desigualdade*, ed. cit., p. 247). Assim, a reflexão não é atributo do homem natural, mas supõe já o convívio social. Por outro lado, a reflexão é, segundo a *Crítica do Juízo* de Kant, a condição de todo juízo estético: para encontrar beleza numa coisa, diz Kant, "nada mais / é requerido / do que mera reflexão (sem nenhum conceito) sobre uma representação dada" (*Primeira Introdução à Crítica do Juízo*, ed. cit., p. 188).

[84] Veja-se a Carta III e nota 5.

[85] Sobre este ponto, veja-se a apresentação a este volume.

[86] Seja na versão epicurista, estoica etc., os "sistemas da felicidade" (eudemonia) são rejeitados por Kant na *Crítica da Razão Prática* e na *Fundamentação da Metafísica dos Costumes*.

[87] Sobre a reflexão, veja-se nota 83. Quanto à *Betrachtung* (contemplação, consideração), a inspiração é, uma vez mais, kantiana: "Mas, se a questão é se algo é belo, não se quer saber se, para nós ou para quem quer que seja, importa algo a existência da coisa, ou sequer

se pode importar, mas sim como a julgamos na mera consideração (intuição ou reflexão)" (Kant, *Crítica do Juízo*, ed. cit., p. 210).

[88] A passagem correspondente das *Cartas a Augustenburg* (ed. cit., p. 64) diz: "No belo, a liberdade do espírito é *introduzida* no mundo dos sentidos, e a chama pura e demoníaca pode (queira perdoar-me a metáfora) lançar aqui suas cores etéreas no espelho da matéria, como o dia nas nuvens da manhã".

[89] Saturno, na mitologia grega, é Chronos.

[90] A lição vem, uma vez mais, de Kant: "A satisfação com o belo tem de depender da reflexão sobre um objeto, que conduz a algum conceito (sem determinar qual); e distingue-se com isso também do agradável, que repousa inteiramente na sensação" (Op. cit., p. 112).

[91] O *factum* da beleza: a palavra *Faktum* (traduzida na Carta X simplemente como "fato") parece ser usada aqui num contexto impróprio (o domínio estético), uma vez que remete imediatamente à filosofia moral de Kant (a "liberdade" como *Faktum* da razão prática) ou à doutrina da ciência de Fichte, na qual ele é "*um* factum *que aparece originalmente em nosso espírito*", e que permite a passagem da parte teórica à parte prática da doutrina da ciência (ed. cit., p. 115).

[92] Veja-se nota 6.

[93] A passagem remete à ideia kantiana de que o gênio é "um favorito da natureza" (*Crítica do Juízo*, ed. cit., p. 255). Joga-se com a analogia entre favor, favorecimento, favorito do destino (da natureza), mediante os quais se dá, para Schiller, a passagem ao reino estético.

[94] Na primeira versão da revista *Horen*, Schiller acrescenta: "Leia-se sobre essa questão o que Herder diz acerca das origens da formação do espírito grego no Livro XIII das *Ideias para a Filosofia da História da Humanidade*". Sobre Herder, veja-se nota 11.

[95] Toda a análise que se segue baseia-se na concepção do belo como aparência (*Schein*). Os juízos estéticos (também chamados reflexionantes por Kant) fundamentam-se no princípio de que os objetos *parecem* belos (é *como se* o fossem, à medida que não há prova de que objetivamente o sejam). Esse passo em direção à aparência representa, ao mesmo tempo, um distanciamento em vista do mero

real: uma cultura estética. Sobre *Schein* e *Erscheinung*, veja-se nota 77.

[96] Sirva de comentário a essa passagem as palavras de Gérard Lebrun, que a cita: "O olhar estético se contenta com a aparência, mas não é o travestimento da realidade. Esse aparecer não dissimula o ser, mas deixa uma presença se desdobrar; ele não é, portanto, sinônimo de mentira, mas de despreocupação" (*Kant et la Fin de ta Métaphysique*. Paris: Armand Colin, 1970, p. 318).

[97] O termo "rigorista" serve para designar aquele que, para Schiller, atém-se unicamente à letra do imperativo categórico. Os rigoristas estéticos são aqueles que rejeitam a bela aparência. Sobre os "rigoristas" e "latitudinários" em geral: Kant, *Religião dentro dos Limites da Mera Razão*. Akademie-Ausgabe, VI, p. 22.

[98] Sobre a "apreciação desinteressada e livre" do belo, veja-se nota 81.

[99] Veja-se nota 6.

[100] O belo, como diz Kant, é representado como objeto de "uma satisfação universal" (*Crítica do Juízo*, Analítica do Belo, ed. cit., p. 215).

OUTROS TÍTULOS
BIBLIOTECA PÓLEN

O CONCEITO DE CRÍTICA DE ARTE
NO ROMANTISMO ALEMÃO
Walter Benjamin

LAOCOONTE
ou sobre as fronteiras da pintura e da poesia
G.E. Lessing

PÓLEN
Novalis

SOBRE O HOMEM E SUAS RELAÇÕES
Franz Hemsterhuis

SOBRE KANT
Gérard Lebrun

TEOGONIA
a origem dos deuses
Hesiodo

OS TRABALHOS E OS DIAS
Hesiodo

CADASTRO
ILUMI//URAS

Para receber informações
sobre nossos lançamentos e
promoções envie e-mail para:

cadastro@iluminuras.com.br

Este livro foi composto em Times New Roman
pela *Iluminuras* e terminou de ser impresso em
setembro de 2017 nas oficinas da *Meta Brasil*,
em Cotia, SP, em papel O white 80g.